Boa noite, Princesinha

Histórias bíblicas, devocionais & orações para a hora de dormir

PARA:

DE:

DATA:

OCASIÃO:

Título original: Sweet Dreams Princess

Publisher	*Omar de Souza*
Editor de aquisição	*Samuel Coto*
Editor de conteúdo	*Aldo Menezes*
Supervisão editorial	*Thalita Aragão Ramalho*
Produção editorial	*Thiago Braz*
Tradução	*Valéria Lamim Delgado Fernandes*
Preparação	*Cristina Ignácio Fernandes*
Revisão	*Pedro Staite*
Projeto gráfico e diagramação	*Carmen Beatriz*

CIP-BRASIL. CATALOGAÇÃO NA FONTE
SINDICATO NACIONAL DOS EDITORES DE LIVROS, RJ

W227b Walsh, Sheila

Boa noite, princesinha / Sheila Walsh; tradução de Valéria Lamin – Rio de Janeiro: Thomas Nelson Brasil, 2014.

Tradução de: Sweet dreams princess

ISBN: 978-85-7860-540-7

1. Exercícios devocionais — Literatura infanto-juvenil. 2. Vida cristã — Literatura infanto-juvenil. 3. Meninas — Conduta Literatura infanto-juvenil. I. Título. II. Valéria Lamin.

CDD: 242
CDU: 242

Thomas Nelson é uma marca licenciada à Vida Melhor Editora LTDA.

Rua da Quitanda, 86, sala 601A – Centro – 20091-005
Rio de Janeiro – RJ – Brasil
Tel.: (21) 3175-1030
www.thomasnelson.com.br

Printed in China

Histórias bíblicas, devocionais &
orações para a hora de dormir

Sheila Walsh

Tradução de
Valéria Lamin Delgado Fernandes

Querida princesa,

Antes de você fechar os olhos e dar boa-noite para mais um dia, quero que se lembre de uma notícia maravilhosa!

Sabia que neste exato momento Deus a ama e a valoriza do jeitinho que você é? Mesmo que hoje não tenha sido um dia tão bom e você esteja um pouquinho triste ou meio zangada, Deus a ama demais, e você pode dizer para ele como se sente. Cada dia com

Deus é um novo começo, e cada noite é uma oportunidade de separar alguns minutos para dizer: "Obrigada, Deus, por me amar e por tomar conta de mim."

Oro para que você vá dormir com um grande sorriso no rosto, princesa, porque você é especial. Você é a princesinha de Deus!

Sua irmã mais velha,

Sheila

Sumário

Queridos pais e princesinhas,

Este novo e maravilhoso livro de contos bíblicos inclui histórias das Escrituras extraídas da International Children's Bible®, a primeira versão criada especialmente para crianças (com tradução livre para o português). Cada uma dessas histórias bíblicas clássicas e conhecidas vem acompanhada de um devocional de Sheila Walsh e termina com uma oração, uma promessa ou um louvor.

As **orações** são uma ótima maneira de as princesinhas começarem a desenvolver o hábito maravilhoso de conversar com Deus no final do dia.

As **promessas** são um pequeno lembrete, apenas para que a princesinha cansada saiba que pode confiar nas promessas de Deus dia e noite. O amor de Deus nunca tem fim e sempre estará ao lado de sua princesa!

Os **louvores** são o ponto de partida para as princesas pensarem nas bênçãos que recebem e adorarem a Deus por isso. É uma bela maneira de ajudá-las a ver as coisas boas da vida e as reconhecer em oração e louvor.

Esperamos que este livro de histórias bíblicas crie uma experiência divertida na hora de dormir, da qual você e a princesinha de Deus desfrutem nos próximos anos!

Os editores

Histórias bíblicas, devocionais &
orações para a hora de dormir

Deus faz o mundo

GÊNESIS 1:1-5, 9-11, 14, 16-17

No começo Deus criou o céu e a terra. A terra era vazia e não tinha forma. A escuridão cobria o oceano, e o Espírito de Deus se movia por cima da água.

Então Deus disse: "Que haja luz!" E a luz começou a existir. Deus viu que a luz era boa e a separou da escuridão. Deus pôs na luz o nome de "dia" e na escuridão pôs o nome de "noite".

Depois Deus disse: "Que a água que está debaixo do céu se junte num só lugar para que a terra seca apareça!" E assim aconteceu. Deus pôs na parte seca o nome de "terra" e nas águas que se juntaram ele pôs o nome de "mares". E Deus viu que o que havia feito era bom.

Em seguida ele disse: "Que a terra produza todo tipo de vegetação: plantas que deem sementes e árvores que deem frutas com sementes dentro! Cada semente vai produzir outra planta, de acordo com sua espécie." E assim aconteceu.

Então Deus disse: "Que haja luzes no céu para separar o dia da noite."

Deus fez os dois grandes luminares: o maior para governar o dia e o menor para governar a noite. E fez também as estrelas. Deus pôs esses astros no céu para iluminarem a terra.

Devocional

Pronta para dormir, princesa? Tudo bem, feche os olhos. Eles estão bem fechados? O que você consegue ver? Está muito escuro, não está? Estava ainda mais escuro quando Deus decidiu criar nosso mundo. Então a primeira coisa que Deus disse foi: "Que haja luz!" E a escuridão desapareceu!

Iluminada como se fosse um milhão de joias brilhantes, a terra começou a tomar forma enquanto Deus a chamava à existência. Águas separadas dos céus. Sol e Lua, cada um no seu lugar. Surgiram as plantas, os animais e as primeiras pessoas. Tudo exatamente como Deus queria que fosse. Tudo era perfeito sob os cuidados de

Deus. Sabia que você está sempre sob os cuidados de Deus? Deus nunca tiraria os olhos de sua princesinha, por que ele tiraria agora?

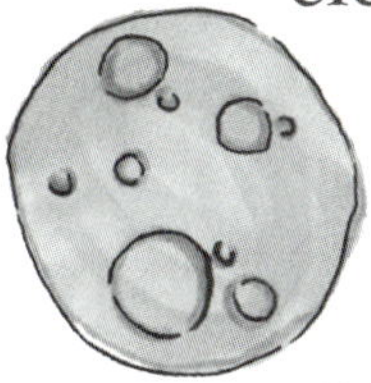

Por isso, se você alguma vez tiver medo do escuro, não tenha! Deus enxerga tão bem no escuro quanto na luz. Ele tem você perto do coração dele de dia e de noite. Então, tenha bons sonhos, princesa!

Promessa

Deus fez tudo,

até a mim! Ele sabe como

me proteger.

Deus faz os animais

GÊNESIS 1:20-25

ntão Deus disse: "Que as águas fiquem cheias de seres vivos, e que as aves voem no ar acima da terra!"

Assim Deus criou os grandes animais marinhos, e todo tipo de seres vivos que se movem nas águas. O mar ficou cheio deles, e cada um se reproduzia conforme sua espécie. Deus criou também toda ave que voa. E cada uma se reproduzia conforme sua espécie. Deus viu que o que havia feito era bom. Ele abençoou os seres vivos e disse: "Tenham muitos filhotinhos e aumentem em número. Encham as águas dos mares! E que as aves se multipliquem na terra!" A noite passou, e veio a manhã. Esse foi o quinto dia.

Depois Deus disse: "Que a terra se encha de todo tipo de animais e que eles se multipliquem segundo a sua espécie! Que haja animais domésticos, selvagens e os que se arrastam pelo chão, e que eles se reproduzam, cada um de acordo com a sua espécie." E assim aconteceu.

Deus fez os animais domésticos, os selvagens e os insetos para que cada um se reproduzisse e formasse outros iguais a eles. E Deus viu que o que havia feito era bom.

animais

Devocional

Qual é o seu animal favorito? É o elefante com a tromba engraçada e comprida? Que tal o coelhinho esperto que fica saltitando no campo? Ou talvez você goste do panda com o rosto felpudo e a paixão por brotos de bambu. É difícil ter um animal favorito com tantos para escolher.

Você precisa conhecer a Gigi, uma princesinha de Deus. Ela adora seu gatinho, o Fofo, e sua cadelinha meiga, Tiarra. Não é incrível como Deus é criativo? Como ele teve tantas ideias maravilhosas? Ele não só criou animais para a terra, mas também os colocou nos céus e no mar. Para onde quer que olhemos, encontramos as criaturas de Deus, vivas, brincando e provando para nós que ele é mais sábio e mais poderoso do que qualquer um na terra.

Como você pode ter certeza de que Deus é real? Dê uma olhada na formidável criação ao seu redor. Depois olhe no espelho e veja que princesinha perfeita ele criou quando fez você! Vamos agradecer a Deus pela criatividade e pelo poder dele.

LOUVOR:

Querido Deus, eu **LOUVO** o Senhor
por seu amor maravilhoso.
Ninguém é tão poderoso,
CRIATIVO ou fascinante como o Senhor!

Adão e Eva são tentados

GÊNESIS 3:1-6

A cobra era o animal mais esperto que o SENHOR Deus havia feito. Um dia, conversando com a mulher, a cobra perguntou: "É verdade que Deus mandou que vocês não comessem as frutas de nenhuma árvore do jardim?"

A mulher respondeu: "Podemos comer as frutas de qualquer árvore, sim, menos a fruta da árvore que fica no meio do jardim. Deus disse que não devemos comer dessa fruta nem tocar nela. Se fizermos isso, morreremos."

Mas a cobra afirmou: "Vocês não vão morrer, não! Deus disse isso porque sabe que, se vocês comerem a fruta dessa árvore, os seus olhos se abrirão, e vocês serão como Deus, conhecendo o bem e o mal."

A mulher viu que a árvore era bonita e que as suas frutas eram boas de se comer. E ela pensou como seria bom ter entendimento. Aí apanhou uma fruta e comeu; depois deu ao seu marido, e ele também comeu.

escolha

Devocional

Alguma vez você já achou difícil prestar atenção no que sua mãe ou seu pai lhe dizem? Parece que você está ouvindo, mas sua mente está em outro lugar. Bem, Adão e Eva também não prestaram atenção, e por causa disso tiveram um enorme problema.

Deus tinha dito a eles exatamente o que precisavam fazer para continuarem felizes no lindo Jardim do Éden. Mas, na forma de uma serpente, Satanás confundiu Eva. Ele a enganou com a ideia de que o jeito de Deus não era o melhor. Ele a fez pensar que Deus estava escondendo algo bom dela e de Adão. Então

Querido Jesus, obrigada por me ajudar a me tornar amiga de Deus. Peço sua ajuda contra as mentiras de Satanás e para **ouvir** *somente o Senhor e sua* **Palavra**.

Louvor

ela desobedeceu e comeu do fruto da árvore que Deus disse para não comer. E aí Adão fez o mesmo. Na mesma hora eles reconheceram que havia sido um erro. Eles entenderam que tinham rompido seu relacionamento com Deus, e isso os deixou muito tristes.

Você sempre é tentada a desobedecer a Deus? Parece que o pecado é mais divertido? Não se engane! Nunca somos felizes longe de Deus. Os caminhos de Deus são sempre os melhores. Peça a Deus agora para ajudá-la a ser obediente a ele.

Noé constrói uma arca

GÊNESIS 6:9-15, 17-18, 22

Esta é a história de Noé e sua família. Ele era um homem bom, que andava com Deus, e foi a pessoa mais correta de sua época. Noé tinha três filhos: Sem, Cam e Jafé.

As outras pessoas faziam o que Deus disse que era mau. Havia violência por toda parte. Deus olhou para o mundo e viu a maldade. Todo mundo só fazia coisas erradas. Deus disse a Noé: "As pessoas encheram a terra de crueldade, então vou acabar com todas elas. Pegue madeira de cipreste e construa para você uma grande arca. Faça divisões nela e tape todos os buracos com piche, por dentro e por fora. As medidas serão as seguintes: 135 metros de comprimento, 22,5 metros de largura e 13,5 metros de altura. Vou trazer uma enchente sobre a terra, a fim de acabar com tudo o que tem vida debaixo do céu; tudo o que há na terra morrerá. Mas farei um acordo contigo. Você, a sua mulher, os seus filhos e as suas noras entrarão na arca."

E Noé fez tudo o que Deus mandou.

obedecer

Devocional

Você já sentiu vergonha por não se parecer com os outros nem agir como eles? Talvez seu cabelo não fique liso, ou talvez você ria muito alto e isso chame a atenção das pessoas. Como isso a faz se sentir?

Noé provavelmente se sentia um pouco ridículo também. Ele era diferente de todos os que o cercavam. Ninguém em sua cidade acreditava em Deus. As pessoas também nunca tinham visto a chuva. Dá para imaginar isso? Mas Deus disse a Noé que ele precisava construir uma arca para salvar sua família do dilúvio que estava por vir. Noé poderia ter dito não para Deus, mas não fez isso.

Noé se preocupava mais com o que Deus pensava do que com o que os outros pensavam. Noé e sua família foram as únicas pessoas na terra que sobreviveram ao dilúvio mundial.

Às vezes, é difícil fazer o que é certo. Outras pessoas talvez não entendam por que fazemos o possível para obedecer a Deus e à Palavra dele. Elas podem até rir de nós. Mas obedecer a Deus nunca é tolice. Experimentamos as maiores bênçãos quando nos apegamos a ele!

PROMESSA:

Deus colocou um **ARCO-ÍRIS** no céu como uma promessa. Ele nunca mais mandaria uma enchente assim de novo!

O dilúvio

GÊNESIS 7:1-10

Depois o SENHOR disse a Noé: "Entre na arca, com toda a sua família, pois tenho visto que você é a única pessoa que faz o que é certo. Leve junto com você sete casais de cada espécie de animal puro e um casal de cada espécie de animal impuro. Leve também sete casais de cada espécie de ave, para que esses animais continuem a viver sobre a terra após o dilúvio. Daqui a sete dias eu vou fazer chover durante quarenta dias e quarenta noites. Assim vou acabar com todos os seres vivos que criei."

E Noé fez tudo o que o SENHOR mandou.

Noé tinha seiscentos anos quando as águas do dilúvio cobriram a terra. A fim de escapar da grande enchente, ele entrou na arca com os filhos, a mulher e as noras. Os animais puros e os impuros, os que se arrastam pelo chão e as aves entraram com Noé na arca de dois em dois, macho e fêmea, como Deus havia mandado. Sete dias depois, as águas do dilúvio começaram a cobrir a terra.

promessa

Devocional

Você já foi ao zoológico? Como foi? Como era o cheiro lá? Talvez ele precisasse de um pouquinho de perfume de princesa!

Agora imagine ter todos aqueles animais dentro de sua casa! Noé e sua família viveram com todas as espécies de animais dentro da arca por quase um ano! Como ele alimentou e limpou tantas criaturas? Talvez possamos perguntar isso para ele no céu um dia. Mas, por enquanto, podemos ser gratos pela obediência de Noé e pela forma especial com que Deus o salvou. Quando as águas do dilúvio baixaram, a arca parou no alto de uma montanha. Noé, sua família e todos os animais finalmente saíram de seu zoológico flutuante e deram graças a Deus pela bondade dele para com eles.

Alguma vez sua casa pareceu um zoológico? Às vezes, pode ser difícil conviver com seus irmãos e irmãs. Mas lembre-se de que Deus está vendo. Confie que ele cuidará de você, mesmo quando a vida parecer um pouco louca.

oração

Querido Deus, obrigada por cuidar de mim. Peço sua ajuda para eu ser boazinha com minha família, já que vivemos todos juntos debaixo dos seus cuidados.

A torre de Babel

GÊNESIS 11:1-9

Naquele tempo todos os povos falavam uma língua só, todos usavam as mesmas palavras. Alguns partiram do Oriente e chegaram a uma planície em Sinear, onde ficaram morando.

Um dia disseram uns aos outros: "Vamos, pessoal! Vamos fazer tijolos e depois queimá-los para que fiquem mais duros!" Assim, para construir, eles tinham tijolos, em vez de pedras, e usavam piche, em vez de argamassa. Então disseram: "Agora vamos construir uma cidade e uma torre que chegue até o céu. Assim ficaremos famosos. Se fizermos isso, não seremos espalhados pelo mundo inteiro."

Um dia o SENHOR desceu para ver a cidade e a torre que aquela gente estava construindo. O SENHOR disse assim: "Essa gente é um povo só, e todos falam a mesma língua. Isso que eles estão fazendo é apenas o começo. Logo serão capazes de fazer o que quiserem. Vamos descer e confundir a língua que eles falam. Desse modo, um não será capaz de entender o que o outro está dizendo."

Assim, o SENHOR os espalhou pelo mundo inteiro, e eles pararam de construir a cidade. Naquele lugar o SENHOR confundiu a língua falada por todos os moradores da terra, e por isso a cidade recebeu o nome de Babel. E dali os espalhou por toda terra.

Devocional

Você já construiu uma torre com bloquinhos? O que acontece, no final, se você a fizer alta demais? Sim, isso mesmo; tudo desmorona. Os homens dos tempos bíblicos se depararam com o mesmo problema, só que eles estavam construindo a torre deles com tijolos de verdade. Eles juntaram tudo e decidiram construir algo tão alto a ponto de chegar a Deus. Eles estavam, na verdade, apenas dizendo que queriam ser mais poderosos que Deus.

Não foi uma boa ideia. Deus interrompeu aquele plano absurdo. E fez com que eles falassem em línguas diferentes para que não pudessem mais entender uns aos outros. Como não podiam trabalhar juntos para construir a torre, eles se separaram em grupos com pessoas a quem pudessem entender.

Tentar levar a vida do nosso jeito é quase tão bobo quanto construir uma torre para alcançar o céu. Ambos os esforços falham. Em vez disso, precisamos amar e servir a Deus. Somente ele nos ajuda a entendê-lo e a entender uns aos outros.

PROMESSA:

Deus diz que é
o melhor construtor que existe.
Peça a ele hoje
para ajudá-la a **EDIFICAR** uma vida
boa por meio da obediência à
Palavra de Deus!

Certo dia o SENHOR disse a Abrão: "Saia da sua terra, do meio dos seus parentes e da casa do seu pai e vá para uma terra que eu lhe mostrarei.

Os seus descendentes vão formar uma grande nação. Eu o abençoarei, o seu nome será famoso e você será uma bênção para os outros.

Abençoarei os que o abençoarem e amaldiçoarei os que o amaldiçoarem. E por meio de você eu abençoarei todos os povos do mundo."

Então Abrão deixou Harã, conforme Deus havia mandado. E Ló foi com ele. Naquela época Abrão estava com 75 anos.

Abrão levou sua mulher, Sarai, seu sobrinho Ló e tudo o que era deles. Eles levaram todos os escravos que tinham conseguido em Harã. Quando chegaram a Canaã, Abrão atravessou o país, até que chegou a Siquém, onde ficava a grande árvore de Moré. Naquele tempo os cananeus viviam nessa região. Ali o SENHOR apareceu a Abrão e disse: "Eu vou dar esta terra aos seus descendentes."

Então Abrão construiu ali um altar dedicado ao SENHOR, que havia aparecido a ele.

Devocional

Você teve um bom dia, princesa? Dê uma olhada em seu quarto. O que o torna especial? Do que você mais gosta no lugar onde vive? Seus amigos da vizinhança? Sua escola? O que você faria se, de repente, Deus aparecesse para sua mãe ou seu pai e pedisse que sua família se mudasse para outro lugar? Você ficaria com medo? Triste? Empolgada?

Abrão provavelmente sentiu tudo isso ao mesmo tempo. Mas ele sabia que, se seguisse a direção de Deus, acabaria no melhor lugar possível. Deus recompensou a fé de Abrão e o abençoou de uma forma incrível. Ele lhe deu terras e uma família enorme!

Nem sempre é fácil obedecer a Deus. Fazer algo novo pode até parecer assustador. Como Abrão, precisamos confiar em Deus! Grandes bênçãos estão logo ali.

Deus promete nunca deixar nem tirar os olhos de você!

Sara ri

GÊNESIS 18:1-2, 9-16

Abraão estava sentado na entrada da sua barraca. Ele olhou para cima e viu três homens de pé na sua frente. Eles perguntaram: "Onde está Sara, sua mulher?"

"Está na barraca", respondeu Abraão.

Então o Senhor disse: "No ano que vem eu virei visitá-lo outra vez. E nessa época Sara, a sua mulher, terá um filho."

Sara estava atrás dele, na entrada da barraca, escutando a conversa. Abraão e Sara eram muito velhos, e Sara já havia passado da idade de ter filhos. Por isso riu por dentro e pensou assim: "Eu e meu marido somos velhos demais para termos um bebê."

Então o SENHOR perguntou a Abraão: “Por que Sara riu? Por que ela disse: ‘Estou muito velha pra ter um bebê’? Será que para o SENHOR há alguma coisa impossível? Não! Pois, como eu disse, no ano que vem virei visitá-lo outra vez. E Sara terá um filho.

Ao escutar isso, Sara ficou com medo e mentiu. “Eu não estava rindo”, disse ela.

Mas o SENHOR respondeu: “Não é verdade; você riu, sim.”

Depois os visitantes se levantaram e foram para um lugar de onde podiam ver a cidade de Sodoma. E Abraão os acompanhou para lhes mostrar o caminho.

risada

Devocional

Se seu irmão ou sua irmã dissesse que consegue capturar a Lua com um laço, você iria rir? É difícil não rir disso. Laçar a Lua é quase tão impossível quanto uma mulher idosa ter um bebê... Isso explica por que Sara não conseguiu conter as risadinhas.

Sara era velha — mais velha que sua avó ou talvez até mesmo que sua bisavó. Era muito velha para ter um bebê, e ela sabia disso. Mas ela deveria saber que qualquer coisa é possível para Deus. Não é maravilhoso ser a princesa dele?

Deus lhe prometeu que ela teria um bebê na velhice. A princípio, ela riu. Mas Deus não. Ele estava falando sério! Por volta dos cem anos de idade, Abraão e Sara tiveram um menino e lhe deram o nome de Isaque. Sem dúvida, Sara riu novamente quando Isaque nasceu, mas dessa vez de alegria, por causa do poder maravilhoso de Deus! Depois, tenho certeza que ela tirou uma soneca.

Louvor

Querido Deus, o Senhor
criou o mundo e tudo o que nele há.
Para o Senhor nada é difícil demais!

Rebeca

GÊNESIS 24:15-21, 23-27

Rebeca estava carregando um cântaro no ombro. Ela desceu até o poço, encheu o cântaro e subiu. Então o empregado de Abraão foi correndo se encontrar com ela e disse: "Por favor, me dê um pouco da água.

"O senhor pode beber", respondeu ela.

E em seguida abaixou o cântaro e o serviu. Depois que ele terminou de beber, a moça disse: "Vou tirar água também para os seus camelos."

Rapidamente ela despejou toda a água no bebedouro e correu várias vezes ao poço a fim de tirar água para todos os camelos. Enquanto isso o homem, sem dizer nada, ficou observando a moça para saber se o SENHOR havia ou não abençoado a sua viagem.

Em seguida perguntou: "Quem é o seu pai? Será que na casa dele há lugar para meus homens e eu passarmos a noite?"

Ela respondeu: "Eu sou filha de Betuel, filho de Milca e de Naor. E, sim, na nossa casa há lugar para dormir e também bastante palha e capim para os camelos."

Então o homem se ajoelhou e adorou a Deus, dizendo: "Bendito seja o SENHOR, o Deus do meu patrão Abraão, a quem tem sido fiel e demonstrado bondade! Ele me guiou até a casa dos parentes do meu senhor."

Rebeca não sabia que o servo de Abraão a estava observando. Ela só viu alguns camelos com sede e quis ajudar. Então ela pegou o próprio cântaro e deu-lhes de beber. Ela não tinha ideia de que receberia uma bênção tão grande por causa de sua bondade. Ao ser uma serva tão amável, ela provou ser a mulher que Deus tinha escolhido para se casar com Isaque.

Você também pode ser prestativa como Rebeca. Pode ser que seja difícil encontrar um camelo que precise de água, mas talvez seu cachorro, gato ou hamster estejam com sede. Você poderia ajudar sua mãe com a louça ou deixar seu irmãozinho ou irmãzinha começar primeiro no jogo favorito da família. Você pode dividir seus doces com seus amigos. O Senhor nos dá pequenas oportunidades a cada dia de servir a ele. Até mesmo o menor ato de bondade glorifica Deus.

Oração

Querido Senhor, ajude-me a perceber quando posso ser útil e me fortaleça para que eu sempre faça o que é certo.

Esaú e Jacó

GÊNESIS 25:21-26

Rebeca não podia ter filhos, e por isso Isaque orou a Deus em favor dela. O SENHOR ouviu a oração dele, e ela ficou grávida.

Na barriga dela havia dois bebês, e eles lutavam um com o outro. Ela pensou assim: “Por que está me acontecendo uma coisa dessas?” Então foi perguntar ao SENHOR, e ele respondeu: “No seu ventre há duas nações; você dará à luz dois povos inimigos. Um será mais forte do que o outro, e o mais velho será dominado pelo mais moço.”

Chegou o tempo de Rebeca dar à luz os gêmeos, e ela teve dois meninos. O que nasceu primeiro era ruivo e peludo como um casaco de pele; por isso lhe deram o nome de Esaú. O segundo nasceu agarrando o calcanhar de Esaú com uma das mãos, e por isso lhe deram o nome de Jacó. Isaque tinha sessenta anos quando eles nasceram.

Devocional

Como você pôde ver nessa história, as princesas de Deus também têm problemas. Rebeca tinha um que a deixava muito triste. Ela sabia que queria uma família, mas ela não conseguia ficar grávida. Seu marido, Isaque, procurou aquele que podia resolver o problema. Isaque orou a Deus.

Adivinhe o que Deus fez? Isso mesmo! Ele respondeu à oração de Isaque. Na verdade, Deus deu a eles dois bebês de uma vez! Eles se mexiam tanto no ventre de Rebeca que ela precisou de ajuda novamente. Dessa vez, ela mesma consultou Deus e pediu sabedoria. Deus também respondeu à sua oração.

Você já precisou de ajuda? Já se sentiu presa em uma situação e simplesmente ficou sem saber o que fazer nem para onde se voltar? Como princesa de Deus, Rebeca voltou-se para o Rei, seu Deus Pai. Lembre-se de que Deus tem todo o poder e a ama. Vá a ele em todas as suas necessidades. Ele também responderá às suas orações da melhor maneira possível.

Deus, eu louvo seu nome porque o Senhor é capaz de fazer todas as coisas. O Senhor me ouve quando eu oro, e posso confiar que fará o que é melhor!

Os irmãos ciumentos de José

GÊNESIS 37:3-4, 13-20

José nasceu quando Israel, também chamado Jacó, era velho, e por isso seu pai o amava mais do que a todos os outros filhos. Jacó mandou fazer para José uma túnica longa, de mangas compridas. Os irmãos viam que o pai amava mais a José do que a eles. Por causa disso, eles tinham ódio do irmão e eram grosseiros quando falavam com ele.

Então Jacó disse a José: "Venha cá. Quero que vá até Siquém, onde seus irmãos estão cuidando do rebanho."

"Sim, eu vou", respondeu José.

Jacó disse: "Veja se está tudo bem com seus irmãos e com os animais e me traga notícias."

Quando estava quase chegando a Siquém, José se perdeu e ficou perambulando pelo campo, até que um homem o viu e perguntou: “O que você está procurando?”

“Estou procurando meus irmãos”, respondeu José. “O senhor sabe onde eles estão cuidando do rebanho?”

O homem respondeu: “Eles já foram embora daqui. Eu ouvi quando disseram que iam para Dotã.” Aí José foi procurar os irmãos e os achou em Dotã.

Eles viram José de longe e, antes que ele chegasse perto, começaram a fazer planos para matá-lo. Eles disseram: “Lá vem o sonhador! Vamos matá-lo e jogar o corpo em um dos poços. Podemos dizer ao nosso pai que um animal selvagem o devorou. Assim, veremos no que vão dar os sonhos dele.”

Devocional

Esse é o tipo da história triste, você não acha? Os irmãos de José não gostavam muito dele. Todo orgulhoso, José usava uma túnica colorida que seu pai tinha dado só para ele, e eu tenho certeza de que isso deixava seus irmãos com ciúmes. Eles queriam que o pai demonstrasse que os amava tanto quanto amava José.

O pai de José pecou ao amar um filho mais do que os outros. O pecado dele levou seus outros filhos a pecarem seriamente também. Eles queriam matar José e tramaram um plano para isso. Você já ganhou um vestido novo ou uma coroa de princesa e quis mostrar para suas amigas? É bom podermos demonstrar nossa felicidade, mas não quando

Querido Senhor, por favor, **examine** meu coração e veja se há algum pecado escondido nele. Mostre para mim o que é certo e **bom** e me ajude a fazer isso.

Oração

queremos que a outra pessoa se sinta mal por não a ter.

O pai e os irmãos de José nos fazem lembrar de como o pecado pode ser perigoso em nossa vida. Nossos maus pensamentos e más atitudes machucam os outros e a nós mesmos. Quando vemos o pecado em nosso coração, a primeira coisa que uma princesa deve fazer é falar sobre ele com Deus no mesmo instante. Peça perdão e peça força a Deus para viver do jeito que ele quer.

José é vendido como escravo

GÊNESIS 37:21-28

Rúben ouviu o plano e quis salvar José. Ele disse: "Não vamos matá-lo. Não derramem sangue. Vocês podem jogá-lo neste poço, aqui no deserto, mas não o machuquem." Rúben falou isso porque tinha a intenção de salvar José depois e mandá-lo de volta ao pai. Quando José chegou aonde os irmãos estavam, eles arrancaram a túnica de mangas compridas dele. Depois o pegaram e o jogaram no poço, que estava vazio e sem água.

Enquanto José estava no poço, os irmãos se sentaram para comer. De repente, viram que ia passando uma caravana de ismaelitas que vinha de Gileade e ia para o

Egito. Os camelos estavam carregados de perfumes e de especiarias.

Então Judá disse aos irmãos: "O que vamos ganhar se matarmos o nosso irmão e depois escondermos a sua morte? Vamos vendê-lo a esses ismaelitas, assim não seremos culpados de matar nosso próprio irmão. Afinal de contas, ele é do nosso sangue."

Os irmãos concordaram. Quando os negociantes ismaelitas de Midiã se aproximaram, os irmãos de José o tiraram do poço e o venderam por vinte barras de prata. E os ismaelitas levaram José para o Egito.

Devocional

Você já teve vontade de poder trocar seu irmão ou irmã por outro? Os irmãos de José tiveram, com certeza. Só que eles tiveram a oportunidade de fazer isso de verdade. Pouco tempo depois dos pensamentos muito maus que tiveram, os irmãos venderam José como escravo para alguns negociantes que estavam passando por ali. Dá para imaginar que eles fossem fazer uma coisa tão terrível?

Pobre José! O que ele ia fazer agora? Ele não podia fazer nada, a não ser confiar que Deus, de alguma forma, colocaria as coisas no lugar novamente.

Depois que José se foi, o pai dele chorou muito. Você acha que os irmãos de José se sentiram mal com o que fizeram? Acha que eles sentiram saudade de José ou se arrependeram de ter deixado o pai tão triste por terem sumido com o irmão?

Mesmo que nossos familiares nos incomodem às vezes, precisamos sempre nos lembrar de que cada pessoa é uma bênção, e que, se uma delas fosse embora, sentiríamos, de verdade, sua falta. Reserve uns minutos agora para agradecer a Deus pelas pessoas de sua família, e diga-lhes por que você está contente por tê-las em sua vida.

ORAÇÃO:

Querido Deus, me ajude
a **AMAR** muito meus familiares
e a ser grata por eles.
Mostre-me maneiras de **SERVI-LOS**
e amá-los ainda mais.

José explica sonhos

GÊNESIS 40:5-9, 12-13, 16, 18

Certa noite, ali na cadeia, o copeiro e o padeiro do rei tiveram um sonho. O sonho de cada um tinha um significado diferente. Quando José veio vê-los de manhã, notou que estavam preocupados. Então perguntou: "Por que vocês estão com essa cara tão triste hoje?"

Eles responderam: "Cada um de nós teve um sonho, e não há ninguém que saiba explicar o que esses sonhos querem dizer."

José então disse a eles: "Deus é o único que pode explicar o significado dos sonhos. Vamos, contem pra mim o que vocês sonharam."

Então o copeiro encarregado de servir vinho ao rei contou o seu sonho...

José disse: "A explicação é a seguinte: os três galhos são três dias. Daqui a três dias o rei vai soltá-lo. Você vai voltar ao seu trabalho e servirá vinho ao rei, como fazia antes."

Quando o padeiro viu que a explicação era boa, disse: "Eu também tive um sonho."

José explicou assim: "Vou lhe dizer o que o sonho significa: os três cestos são três dias. Dentro de três dias o rei vai cortar a sua cabeça e pendurar o seu corpo numa árvore. E as aves comerão a sua carne."

Devocional

Qual foi o sonho mais maluco que você já teve? Você já sonhou que tinha seu próprio castelo, servos e um guarda-roupa cheio de maravilhosos vestidos rosa de princesa? Os sonhos podem ser muito divertidos.

José tinha muitos sonhos também. Deus até deu a José a capacidade de revelar às pessoas o significado dos sonhos delas. Quando José estava na prisão, dois dos outros prisioneiros tiveram sonhos muito estranhos. Preocupados com os sonhos, eles pediram a José que os ajudasse a entendê-los.

José contou a eles que não podia revelar o significado dos sonhos que tiveram sem a ajuda de Deus. Então Deus explicou os sonhos a José, que, por sua vez, os explicou aos homens. A mensagem dos dois sonhos cumpriu-se alguns dias depois.

Você tem um dom ou talento especial? Talvez você saiba cantar ou goste de ajudar outras pessoas. Deus diz que todas as coisas boas que temos vêm dele. Lembre-se de dar o crédito a Deus toda vez que você fizer algo importante!

louvor

Deus, o Senhor é tão bom! Quero louvá-lo porque o Senhor me capacita a fazer grandes coisas.

Da prisão para o palácio

GÊNESIS 41:14-16, 32-33, 37-40

O rei mandou chamar José. Os guardas foram depressa tirá-lo da cadeia. Ele fez a barba, trocou de roupa e se apresentou ao rei.

Então o rei disse: "Eu tive um sonho que ninguém conseguiu explicar. Ouvi dizer que você é capaz de explicar sonhos."

José respondeu: "Eu não sou capaz de explicar o significado dos sonhos, mas Deus fará isso pelo rei..."

"O senhor teve dois sonhos que significam a mesma coisa. A repetição mostra que Deus resolveu fazer isso e vai fazer logo."

E José continuou: "Portanto, será bom que o senhor, ó rei, escolha um homem inteligente e sábio e o ponha para dirigir a terra do Egito."

O rei achou o conselho de José uma ótima ideia. Os oficiais concordaram e o rei perguntou a eles: "Poderemos achar um homem melhor que José para esse trabalho? Sobre ele verdadeiramente está o Espírito de Deus."

Depois virou-se para José e disse: "Deus mostrou a você tudo isso. Não há ninguém que tenha mais capacidade e sabedoria. Você vai ficar encarregado do meu palácio, e todo o povo obedecerá às suas ordens. Só eu estarei acima de você."

Devocional

José ficou na prisão por um bom tempo, mesmo não tendo feito nada de errado. Dá para imaginar como deve ter sido difícil? Depois de muitos anos, o faraó, o nome egípcio para rei, teve um sonho que não entendeu. Lembrando que José podia explicar sonhos, ele mandou que o libertassem da prisão para ajudá-lo. Por fim, José foi solto e nomeado governante de todo o Egito, abaixo apenas do faraó.

Por que Deus permitiu que a vida de José fosse tão difícil no começo? Sabemos agora com o resto da história que Deus estava preparando José, mas o homem não sabia disso durante os longos anos de prisão. Deus sabia que tinha grandes planos para José resgatar a própria família da fome. Mas precisava, primeiro, fortalecer a fé e o caráter dele.

Às vezes, Deus precisa nos preparar também. Você pode ser disciplinada por sua mãe ou por seu pai, e, às vezes, isso pode parecer difícil ou injusto, mas eles a disciplinam porque a amam. A disciplina pode ajudá-la a se tornar uma mulher de Deus mais forte.

PROMESSA:

A disciplina produzirá o tipo de vida que honra a Deus, se **APRENDERMOS** com ela!

Os israelitas tornam-se escravos

ÊXODO 1:8-11, 14-17

Um novo rei começou a reinar sobre o Egito. Ele não sabia nada a respeito de José. Ele disse ao seu povo: "Vejam! O povo de Israel é forte e está aumentando mais depressa do que nós. Se não fizermos nada, o número de israelitas se tornará ainda maior. Se houver uma guerra, eles podem se unir aos nossos inimigos, lutar contra nós e sair do país. Precisamos achar um jeito de não deixar que eles se tornem ainda mais numerosos. Temos de planejar alguma coisa contra eles."

Assim, os egípcios tornaram muito dura a vida do povo de Israel. Colocaram chefes de escravos para maltratar os israelitas, obrigando-os a fazer trabalhos pesados na fabricação de tijolos, nas construções e nas plantações. Os egípcios não tinham misericórdia dos israelitas em todo aquele trabalho difícil.

Havia duas enfermeiras hebreias chamadas Sifrá e a Puá. Elas eram parteiras que ajudavam as mulheres israelitas quando elas davam à luz seus filhos. O rei deu às parteiras a seguinte ordem: "Quando vocês forem ajudar as mulheres israelitas na hora do parto, prestem atenção: se nascer uma menina, deixem que viva; mas, se for um menino, matem o bebê."

Porém as parteiras temiam a Deus e não fizeram o que o rei do Egito havia mandado. Pelo contrário, deixaram que os meninos vivessem.

Devocional

José, seus irmãos e a família deles permaneceram no Egito até morrerem. Seus filhos e netos cresceram e tiveram cada vez mais filhos até haver mais israelitas (a família de Abraão) do que egípcios! Imagine como todas aquelas festas de aniversário devem ter sido divertidas!

Os egípcios ficaram com medo de que os israelitas tentassem conquistar sua terra. Eles disseram que todos os meninos recém-nascidos teriam de ser mortos. Há algumas pessoas muito más no mundo, o que torna maravilhoso o fato de ele ser cuidado por Deus, nosso Pai, e por aqueles que o amam. As mulheres que ajudaram as israelitas a terem bebês não deram ouvidos aos egípcios. Em vez disso, elas ouviram a voz de Deus. Elas ajudaram os bebês que acabavam de nascer a escaparem da morte, e Deus as abençoou por isso.

Não importa o que os outros digam nem no que acreditem, devemos fazer o que Deus diz que é correto. Nem sempre é fácil obedecer a Deus, mas o caminho dele traz bênçãos maiores do que podemos imaginar.

Oração

Querido Deus, me ensine os seus caminhos e me ajude a seguir o Senhor e não as pessoas a minha volta que não o conhecem.

O bebê Moisés e sua irmã

ÊXODO 1:22-2:8

O rei deu a seguinte ordem a todo o seu povo: "Joguem no rio Nilo todos os meninos hebreus que nascerem, mas deixem viver todas as meninas."

Havia um homem da família de Levi. Ele se casou com uma mulher que também era da mesma família. A mulher ficou grávida e deu à luz um filho. Ela viu que o menino era muito bonito e então o escondeu durante três meses. Como não podia escondê-lo por mais tempo, ela pegou uma cesta de junco, tapou os buracos com betume e piche, pôs nela o menino e deixou a cesta entre os juncos, na beira do rio. A irmã do menino ficou observando de longe, para ver o que ia acontecer com ele.

Então, a filha do rei do Egito foi até o rio. De repente, ela viu a cesta no meio da moita de juncos e mandou que uma de suas escravas fosse buscá-la. A princesa abriu a cesta e viu o bebê. Ele estava chorando e ela ficou com muita pena dele. Ela falou: "Este é um menino dos hebreus."

Então a irmã do menino perguntou à princesa: "Quer que eu vá chamar uma mulher hebreia para amamentar e criar esta criança para a senhora?"

"Sim, por favor", respondeu a princesa. Então a garota foi e trouxe a própria mãe do menino.

Devocional

Você já se sentiu jovem demais para poder ajudar de verdade? Você não é! Deus usa até os jovens para ajudarem a construir o reino dele! Tenho certeza de que Miriã achava que não havia muita coisa que ela pudesse fazer para mudar o mundo, mas, nas mãos de Deus, toda princesinha é poderosa.

Ela era a irmã mais velha do bebê Moisés. Ela observava cuidadosamente o menino enquanto sua mãe o colocava na cesta flutuante. Miriã estava por perto quando a filha do faraó viu o bebê entre os juncos. Ela agiu rápido, se oferecendo para encontrar uma israelita para ajudá-la a criar o menino.

Deus, embora eu seja pequena, o Senhor promete ser a **força** *de que eu preciso para fazer sua obra poderosa!*

Uma vez que a filha do faraó concordou, Miriã chamou a própria mãe! Sim, a mãe deles! Isso aí, Miriã!

A ação de Miriã salvou a vida de seu irmãozinho. Ele cresceria para libertar todos os israelitas dos egípcios.

Lembre-se de que Deus usa até os pequenos atos de obediência para fazer coisas realmente grandes acontecerem. Peça a Deus que a ajude a estar pronta para a ação quando chegar a hora!

Deus chama Moisés

ÊXODO 3:2-7, 10-12

O Anjo do SENHOR apareceu a Moisés na chama do fogo que saia de um arbusto. Moisés viu que o arbusto estava pegando fogo, porém não se queimava. Então pensou: "Que coisa esquisita! Por que será que o arbusto não se queima? Vou chegar mais perto para ver."

Quando o SENHOR Deus viu que Moisés se aproximava, ele o chamou do meio do arbusto: "Moisés! Moisés!"

"Estou aqui", respondeu Moisés.

Deus disse: "Não se aproxime. Tire as sandálias. Você está pisando em um solo sagrado." E continuou: "Eu sou o Deus dos seus antepassados, o Deus de Abraão, o Deus de Isaque e o Deus de Jacó." Moisés cobriu o rosto porque ficou com medo de olhar para Deus.

Então o Senhor falou: "Tenho visto como o meu povo está sofrendo no Egito; tenho ouvido seus gritos por causa dos maus-tratos dos chefes dos escravos. Agora eu o enviarei ao rei do Egito. Vá! Tire de lá o meu povo, os israelitas."

Mas Moisés perguntou: "Não sou um homem importante. Por que eu seria a pessoa a ir falar com o rei e tirar os israelitas do Egito?"

Deus respondeu: "Eu estarei com você. E esta é prova de que eu o envio: você vai tirar do Egito o meu povo, e depois todos vocês vão me adorar neste monte."

santo

Devocional

Deus salvou Moisés quando este era um bebê na cesta flutuante. Ele o livrou do faraó depois que Moisés protegeu alguns escravos israelitas. Agora, Deus está pedindo a Moisés para ajudá-lo a livrar seu povo dos egípcios, e isso era assustador! Você não acha assustador fazer algo que nunca fez antes?

Moisés tinha visto Deus agindo em sua vida desde o começo. Porém, ele não gostou da ideia de Deus para libertar Israel. "Eu não sou esperto o bastante. Eu não falo muito bem. Eu não sou bom o suficiente", disse Moisés a Deus. Então Deus disse a Moisés o que ele queria que todo o seu povo soubesse. Quan-

do Deus pede que façamos algo, ele nos dá poder para fazê-lo. Podemos obedecer porque Deus cuida de todos os detalhes. Devemos dizer sim para Deus quando ele nos pede que obedeçamos a ele. Quando obedecemos, vemos os milagres de Deus com nossos próprios olhos. Isso é algo muito emocionante!

ORAÇÃO:

Querido Deus, me ajude a **ACREDITAR** que o Senhor pode fazer o que quiser através de mim. Eu quero ser sua serva. Por favor, encha o meu **CORAÇÃO** de boa vontade e de confiança.

Milagres no Egito

ÊXODO 7:1-5; 8:1-6

O Senhor disse a Moisés: "Vou fazer com que você seja como Deus para o rei; e Arão, o seu irmão, falará por você como profeta. Diga a seu irmão Arão tudo o que eu mandar. Depois ele dirá ao rei do Egito para deixar os israelitas saírem do país. Mas eu vou fazer com que o rei fique teimoso. E então farei muitos milagres e coisas espantosas no Egito. Mesmo assim o rei ainda vai se recusar a vocês. Então punirei o Egito com um castigo terrível. Levarei para fora do Egito os meus exércitos, isto é, o povo de Israel. E eles ficarão sabendo que eu sou o SENHOR."

Depois o SENHOR disse a Moisés: "Vá falar com o rei e diga que o SENHOR está dizendo a ele o seguinte: 'Deixe que o meu povo saia do país a fim de me adorar. Se você não deixar, eu castigarei o Egito, cobrindo-o de rãs. O rio Nilo ficará cheio de rãs. Elas sairão do rio e entrarão no seu palácio, no seu quarto, na sua cama... e até dentro dos fornos e das bacias de amassar pão. As rãs pularão em cima de você, do seu povo e de todos os seus funcionários."

O SENHOR disse ainda a Moisés: "Diga a Arão que estenda sua vara sobre os rios, os canais e os poços."

Aí Arão estendeu a mão sobre as águas do Egito, e as rãs saíram das águas e cobriram todo o país.

Devocional

Tudo começou quando o bastão de Moisés se transformou em uma cobra. O faraó não ficou impressionado. Em seguida veio o rio de sangue. Ainda assim, o faraó não se importou. Então Deus enviou as rãs, os piolhos e as moscas. Você não acha nojento: rãs e moscas cobrindo o recheio do seu sanduíche? O faraó mudava de ideia, mas, logo em seguida, voltava ao seu velho jeito desobediente. Depois vieram a doença dos animais, as terríveis feridas, o granizo, os gafanhotos esfomeados e a escuridão assustadora. Nada parecia comover o coração endurecido do faraó.

Então o Senhor matou o filho primogênito de todas as famílias egípcias, incluindo a do faraó. Finalmente, o faraó ouviu. Era Deus que estava no controle, não o faraó. Ele viu que todo sopro de vida estava nas mãos de Deus. Então, no final, deixou o povo de Deus ir.

Quando Deus nos diz para fazer algo, realmente faz mais sentido ouvir logo da primeira vez. Talvez você saiba que Deus quer que você deixe de lado um mau hábito, mas é tão difícil. Peça a Deus que lhe dê força para dizer sim a ele!

oração

Pai, obrigada pelo seu amor.
Por favor, me ajude a dizer sim
ao Senhor já na primeira vez.

Um caminho seco para a liberdade

ÊXODO 14:8-10, 13-16, 21-22

O SENHOR fez o rei do Egito continuar teimando. Ele foi atrás dos israelitas, que estavam saindo de maneira vitoriosa. O rei e todos os seus cavalos, carros de guerra e seu exército perseguiram os israelitas.

Quando os israelitas viram o rei e seus soldados marchando contra eles, ficaram apavorados e clamaram pedindo a ajuda do SENHOR.

Porém Moisés respondeu: "Não tenham medo. Fiquem firmes e vejam que o SENHOR vai salvá-los hoje. Nunca mais vocês verão esses egípcios. Vocês só precisam se manter calmos. O SENHOR lutará por vocês.

Então Deus disse a Moisés: "Por que você está me pedindo ajuda? Diga ao povo que marche. Levante sua vara e a estenda sobre o mar. As águas se dividirão, e os israelitas poderão cruzar o mar em terra seca."

Moisés estendeu a mão sobre o mar, e, durante toda a noite, o SENHOR manteve o mar afastado com um vento leste muito forte. Ele fez o mar virar um terreno seco. As águas foram divididas, e os israelitas passaram pelo mar em terra seca. Havia uma parede de água de cada lado do caminho.

Devocional

Alguma vez você já teve dificuldade para se lembrar de que Deus está sempre com você, mesmo quando algo desagradável acontece? Você não é a única. O povo de Deus tinha uma memória muito curta também.

Os israelitas tinham acabado de ver Deus realizar 11 milagres impressionantes. Ficou bem claro que Deus estava com eles. Não só eles conseguiram sair do Egito, como também levaram uma boa parte do ouro dos egípcios quando partiram. Era como se eles tivessem suas próprias joias de princesa.

Mas, então, eles tiveram outro problema. Os soldados egípcios começaram a

vir atrás deles, e um mar bloqueava o caminho na frente deles. Então o que eles fizeram? Foram se queixar com Moisés! Ficaram com medo e se esqueceram do poder de Deus.

É bom saber que Deus nos ama mesmo quando somos tolos. Ele demonstrou seu grande poder para Israel de novo. Ele simplesmente dividiu as águas no meio e criou um caminho seco para os israelitas atravessarem o mar em segurança.

Precisamos aprender a lição de Israel. Deus nunca nos deixa. Não precisamos ter medo. Devemos sempre confiar que Deus virá em nosso socorro, porque ele virá!

LOUVOR:

Obrigada, meu Deus, por ser **PACIENTE** comigo quando eu esqueço que o Senhor sempre está ao meu lado para me ajudar quando eu **CLAMO**.

O pão do céu

ÊXODO 16:2-7

Toda a comunidade de Israel começou a reclamar com Moisés e Arão, dizendo assim: "Seria melhor se o SENHOR tivesse nos matado no Egito! Lá, nós tínhamos comida. Podíamos comer tudo o que quiséssemos. Vocês nos trouxeram para este deserto a fim de matar de fome toda esta multidão."

O SENHOR disse a Moisés: "Vou fazer cair comida do céu como chuva. Haverá alimento para todos. As pessoas deverão sair e recolher a porção necessária para um dia. Farei isso para ver se elas seguem minhas instruções. No sexto dia de cada semana, elas deverão recolher o dobro do que recolhem nos outros dias. E depois devem preparar o que recolheram."

Então Moisés e Arão disseram ao povo: "Hoje à tarde vocês ficarão sabendo que foi o SENHOR quem os tirou do Egito. Amanhã de manhã vocês verão a grandeza do SENHOR. Ele ouviu as reclamações de vocês contra ele. Nós não somos nada. Não foi contra nós que vocês reclamaram; foi contra o SENHOR."

confiança

Devocional

Shhhh! Você está ouvindo uns sons esquisitos? Será que é a barriga da mamãe ou do papai? Pode ser que venha da barriga dos israelitas famintos? Não! O barulho que você ouviu foi de Israel reclamando para Deus. Os israelitas tiveram medo de novo e ficaram se perguntando onde encontrariam comida. Em vez de pedirem com jeitinho, eles agiram como criancinhas mimadas que queriam as coisas do próprio jeito. Esqueceram que Deus tinha um plano, e que esse plano era para o bem deles.

Deus forneceu, vindos do céu, flocos doces de pão conhecidos como maná. Todo dia, os israelitas deveriam recolher a quantia exata de que precisassem. Se tentassem pegar mais, estragava. Eles ficaram fartos do maná e começaram a dizer a Deus o que achavam que ele deveria fazer.

Deus queria que os israelitas e nós soubéssemos que ele gosta de cuidar de nós. Não precisamos reclamar nem nos preocupar com o que comer ou vestir, porque Deus providenciará tudo aquilo de que precisamos. Também não precisamos ser gananciosos e ter mais do que precisamos. Dividimos o que temos com os outros porque sabemos que Deus cuida de nós.

Oração

Querido Deus, por favor, me perdoe quando eu não for grata por tudo que o Senhor provê para mim dia após dia. Peço que me ajude a não considerar a sua bondade como algo rotineiro.

Os Dez Mandamentos

ÊXODO 20:1-5, 7-10, 12-17

Deus falou ao povo, e foi isto o que ele disse: "Eu, o SENHOR, sou o seu Deus. Eu o tirei da terra do Egito, onde você era escravo."

"Não tenha nenhum outro Deus além de mim."

"Não faça ídolos. Não adore nem sirva qualquer ídolo, pois eu, o SENHOR seu Deus, sou Deus zeloso."

"Não use o nome do SENHOR seu Deus sem pensar. O SENHOR pune aqueles que usam mal o seu nome."

"Lembre-se de guardar o sábado como um dia santo. Faça todo o seu trabalho durante seis dias da semana; mas o sétimo dia é o dia de descanso, dedicado a honrar o SENHOR seu Deus."

"Respeite o seu pai e a sua mãe. Assim você viverá muito tempo na terra."

"Não mate."

"Não cometa adultério."

"Não roube."

"Não diga mentiras no tribunal contra o seu próximo."

"Não deseje tirar nada que pertença a outra pessoa."

Devocional

O que você acha que aconteceria se não tivéssemos regras? Como seria sua casa? O cachorro poderia esconder o osso favorito dele em sua cama ou seu irmão poderia usar sua escova de dentes cor-de-rosa superespecial. O que aconteceria nas ruas se as pessoas dirigissem como bem entendessem? A coisa poderia virar uma verdadeira confusão.

Todas as pessoas precisam de regras para a boa convivência e segurança de todos. Talvez nem sempre gostemos dessas regras, mas elas são para nosso próprio bem.

Querido Deus, por favor, me ajude a **obedecer** aos seus mandamentos para que eu esteja segura e **conheça** melhor o Senhor.

Oração

Deus também tem uma lista de regras, que chamamos de Dez Mandamentos. São as dez maneiras pelas quais ele nos instrui a amá-lo e aos outros. Deus revelou os mandamentos aos hebreus, porque eles precisavam saber como deveriam se comportar, uma vez que pertenciam ao Senhor. Eles não eram como qualquer outra nação. Eram o povo especial de Deus.

Somos o povo especial de Deus também. As leis dele ainda são importantes hoje. Elas nos ajudam a entender quem ele é e como devemos agir sendo suas princesas.

O bezerro de ouro

ÊXODO 32:1-4, 7-8

O povo viu que Moisés estava demorando muito para descer do monte. Então eles se reuniram em volta de Arão e lhe disseram: "Moisés nos tirou do Egito, mas não sabemos o que aconteceu com ele. Portanto, faça para nós deuses para nos guiar."

Arão lhes disse: "Tirem os brincos de ouro que as suas mulheres, os seus filhos e as suas filhas estão usando e tragam para mim."

Então os israelitas tiraram das orelhas os brincos de ouro e os levaram a Arão. Ele pegou o ouro, derreteu e, com uma ferramenta própria, fez a estátua de um bezerro. Então eles disseram: "Povo de Israel, estes são os seus deuses, que tiraram vocês do Egito!

Então o SENHOR disse a Moisés: "Desça dessa montanha. O seu povo, o povo que você tirou do Egito cometeu um pecado terrível. Eles abandonaram bem depressa os meus mandamentos. Fizeram um ídolo de ouro fundido em forma de bezerro. Eles adoraram aquele bezerro e lhe ofereceram sacrifícios.

ídolos

Devocional

Você já viu uma vaca? Como ela é? O que ela nos oferece que usamos quase todos os dias?

Os israelitas acharam que uma vaca dourada seria um ídolo muito bom para ser adorado, e não o Deus vivo e verdadeiro. Você acha que foi uma boa ideia? Imagine como seria idiota adorar um cachorro ou o gato do vizinho!

Deus diz que nunca devemos adorar qualquer coisa ou pessoa, a não ser a ele. Moisés ficou muito bravo quando voltou da montanha e viu o que o povo tinha feito enquanto ele estava longe.

Deus estava muito bravo também. Muitas pessoas morreram por causa daquele grande pecado.

Podemos achar um absurdo que Israel tenha feito e adorado um bezerro de ouro. Mas toda vez que tornamos alguém ou algo em nossa vida mais importante que Deus, é possível que estejamos fazendo ídolos também. Peça a Deus que a ajude a manter seu coração somente nele.

ORAÇÃO:

Pai, me ajude a ver se alguma coisa
em minha vida está ocupando o seu lugar.
Eu não quero amar meus brinquedos,
minhas roupas ou mesmo meus amigos
mais do que eu amo o **SENHOR**.

A coluna e a nuvem de fogo

NÚMEROS 9:15-23

No dia em que foi armada a Tenda Sagrada, veio uma nuvem e a cobriu — a Tenda Sagrada também era chamada de tabernáculo, a tenda que guardava as tábuas da aliança. Desde o entardecer até o amanhecer, a nuvem sobre a Tenda parecia fogo. A nuvem ficava sobre a Tenda. De noite, tinha a aparência de fogo. Quando a nuvem se levantava de cima da Tenda, os israelitas começavam a caminhar. No lugar onde a nuvem parava, aí eles acampavam. Eles começavam a caminhar ou acampavam de acordo com a ordem de Deus. Enquanto a nuvem ficava parada sobre a Tenda, eles permaneciam onde estavam. Às vezes a nuvem ficava parada por muito tempo. Os israelitas obedeciam a Deus e ficavam acampados ali. Às vezes a nuvem ficava poucos dias sobre a Tenda. Aí, conforme a ordem do Senhor, eles continuavam acampados ou começavam a caminhar. Às vezes a nuvem ficava parada somente desde a tarde até a manhã do dia seguinte; quando ela se levantava de manhã, eles começavam a caminhar. Sempre que a nuvem se levantava, fosse de dia ou fosse de noite, os israelitas começavam a caminhar. Mas, se ela ficava sobre a Tenda dois dias, ou um mês, ou mesmo um ano, enquanto estivesse parada, os israelitas continuavam acampados e não começavam a caminhar. Porém, quando ela se levantava, eles partiam. De acordo com a ordem do Senhor, eles acampavam ou começavam a caminhar. Os israelitas faziam isso obedecendo ao que o Senhor ordenava por meio de Moisés.

Devocional

Se seus pais dissessem que iriam levá-la a um lugar maravilhoso, como uma praia ou um parque temático divertido, você ficaria animada? E se você tivesse de esperar dias ou semanas para ter o divertimento especial que eles prometeram? É tão difícil esperar!

O povo de Deus tinha de aprender a esperar pela bênção de Deus. Os israelitas sabiam que ele lhes havia prometido uma terra maravilhosa, mas não sabiam onde ela ficava. Eles tinham de seguir a direção de Deus. Deus decidiu adotar a forma de uma nuvem durante o dia e de fogo à noite. Enquanto ele estivesse sobre a Tenda, o povo permanecia parado. Quando Deus se movia, o povo caminhava. Eles seguiam Deus aonde quer que ele fosse porque sabiam que Deus cumpriria sua promessa.

Quais são as maneiras pelas quais Deus poderia guiá-la? Com a Bíblia, Deus nos dá muita ajuda para sabermos como viver. Deus também fala conosco por meio de nossos professores de escola dominical e de nossas famílias. Deus ama guiar suas princesas preciosas.

oração

Querido Jesus, me ajude a reconhecer todos os caminhos para os quais o Senhor quer me guiar e me ensine a seguir o Senhor.

A jumenta de Balaão

NÚMEROS 22:22-28, 31

Balaão pôs a sela sobre sua jumenta e foi com os chefes moabitas. Deus ficou irado porque Balaão foi. Então, o Anjo do SENHOR se pôs na frente dele no caminho, para barrar a sua passagem. Quando a jumenta viu o Anjo parado no caminho, com uma espada na mão, saiu da estrada e foi para o campo. Aí Balaão bateu na jumenta e a trouxe de novo para a estrada.

Mais tarde, o Anjo do SENHOR ficou numa parte estreita do caminho, entre duas plantações de uvas, onde havia um muro de pedra de cada lado. Quando a jumenta viu o Anjo, ela se encostou no muro, apertando o pé de Balaão. Por isso ele bateu de novo na jumenta.

Depois o Anjo do SENHOR foi adiante e ficou num lugar mais estreito ainda, onde não havia jeito de se desviar nem para a direita nem para a esquerda. A jumenta viu o Anjo e se deitou no chão. Balaão ficou com tanta raiva que surrou a jumenta com a vara. Aí o SENHOR fez a jumenta falar, e ela disse a Balaão: "O que foi que eu fiz para você me bater três vezes?"

Aí o SENHOR fez com que Balaão visse o Anjo que estava no caminho com a espada na mão. Balaão se ajoelhou e encostou o rosto no chão.

Devocional

Você gosta de animais? Qual é o seu animal favorito? Não seria divertido se nosso animal de estimação pudesse falar conosco de verdade? E se, enquanto você estivesse brincando, um deles falasse em voz alta? O que você acharia?

Balaão teve de descobrir. Um dia, Balaão saiu montado em uma jumenta em direção a um lugar ruim. Ele queria desobedecer a Deus, ao contrário da jumenta em que estava montado. Deus colocou um anjo invisível com uma espada flamejante bem no meio do caminho deles. A jumenta pôde vê-lo e fez de tudo para parar. Balaão continuava a bater nela.

Então Deus fez a jumenta falar. Ela fez com que Balaão soubesse que estava fazendo uma coisa má. Então Deus lhe mostrou o anjo escondido, e Balaão disse a Deus que estava arrependido.

Por que iríamos querer ir contra Deus? Ele nos ama e quer o melhor para nós!

P.S.: Não seria uma boa ideia desobedecer a Deus só para ver se seu gato vai falar. Acho que isso foi só para Balaão!

PROMESSA:

Deus diz que podemos fazer planos,

mas ele dirige nossos **PASSOS**!

A muralha de Jericó

JOSUÉ 6:2-5, 14-16, 20

O SENHOR conversou com Josué. Ele disse: "Olhe! Eu estou entregando a você a cidade de Jericó, o seu rei e os seus corajosos soldados. Agora você e os soldados israelitas marcharão em volta da cidade uma vez por dia, durante seis dias. Na frente da arca da aliança, irão sete sacerdotes, cada um com uma corneta de chifre de carneiro. No sétimo dia você e os seus soldados marcharão sete vezes em volta da cidade, e os sacerdotes tocarão as cornetas. Quando eles derem um toque longo, todo o povo deve gritar bem alto, e então a muralha da cidade cairá. Então todos avançarão diretamente para a cidade."

Assim, eles marcharam em volta da cidade uma vez, e depois voltaram para o acampamento. E fizeram isso por seis dias seguidos.

No sétimo dia, eles se levantaram de madrugada e marcharam em volta da cidade sete vezes. Na sétima volta, os sacerdotes tocaram as cornetas, e então Josué ordenou ao povo: "Gritem agora! O SENHOR entregou Jericó a vocês!"

Quando os sacerdotes tocaram as cornetas, o povo gritou com toda a força. Ao som das cornetas e do grito dos israelitas, a muralha caiu. E todos correram direto para a cidade e a tomaram.

Devocional

Você já viu um desfile? Foi divertido ver as pessoas passando por você? Por que você não faz um desfile de princesas com suas amigas? Você pode pedir à sua mãe que a ajude a organizar tudo, com cachecóis de plumas cor-de-rosa e tiaras brilhantes.

O povo de Jericó teve de assistir a um desfile diferente, mas não foi um tipo de diversão para eles. Deus tinha ordenado que seu povo marchasse ao redor da muralha da cidade de Jericó uma vez por dia. Depois, no sétimo dia, os israelitas marcharam ao redor dela sete vezes. Eles tocaram as cornetas, e todos gritaram tão alto quanto meninos no recreio da escola. Então o desfile acabou.

Deus, louvado seja o seu nome porque os seus caminhos são **mais inteligentes** e melhores do que os meus. Eu escolho **seguir** o Senhor!

Louvor

As muralhas da cidade de Jericó desmoronaram, e os israelitas correram para tomar a cidade.

Nem sempre Deus trabalha do modo como achamos que ele vai trabalhar. Mas o plano de Deus sempre funciona melhor do que podemos imaginar. Peça a ele que a ajude a entender o plano dele para nós na Bíblia. Siga Deus, por mais diferente que o caminho dele pareça.

JUÍZES 4:4, 6-9

Havia uma profetisa chamada Débora. Ela era esposa de Lapidote e era também a juíza dos israelitas naquele tempo.

Ela mandou chamar um homem chamado Baraque e lhe disse: "Esta é a ordem que o SENHOR, o Deus de Israel, lhe dá: 'Escolha dez mil homens das tribos de Naftali e Zebulom e os leve ao monte Tabor. Eu vou trazer Sísera, o comandante do exército de Jabim, até o rio Quisom para lutar contra você. Ele virá com seus carros de guerra e seus soldados, mas eu farei com que você o vença.'"

Então Baraque disse a Débora: “Só vou se você for comigo. Se você não for, eu também não vou.”

Ela respondeu: “Claro que eu vou com você. Mas o crédito pela vitória não será seu. O SENHOR deixará uma mulher derrotar Sísera.”

Devocional

Baraque tinha um problema. Ele era um soldado, e Deus lhe deu uma tarefa difícil. Mas ele teve medo de cumpri-la. Débora era juíza em Israel naquele tempo. Ela mandou chamá-lo e o fez se lembrar de que Deus tinha prometido fazer um milagre se Baraque simplesmente obedecesse. Baraque concordou em ir lutar conforme a ordem de Deus, mas disse que só obedeceria se Débora fosse com ele. Ela concordou, mas disse a Baraque que ele era um tolo por confiar em uma mulher, em vez de confiar em Deus.

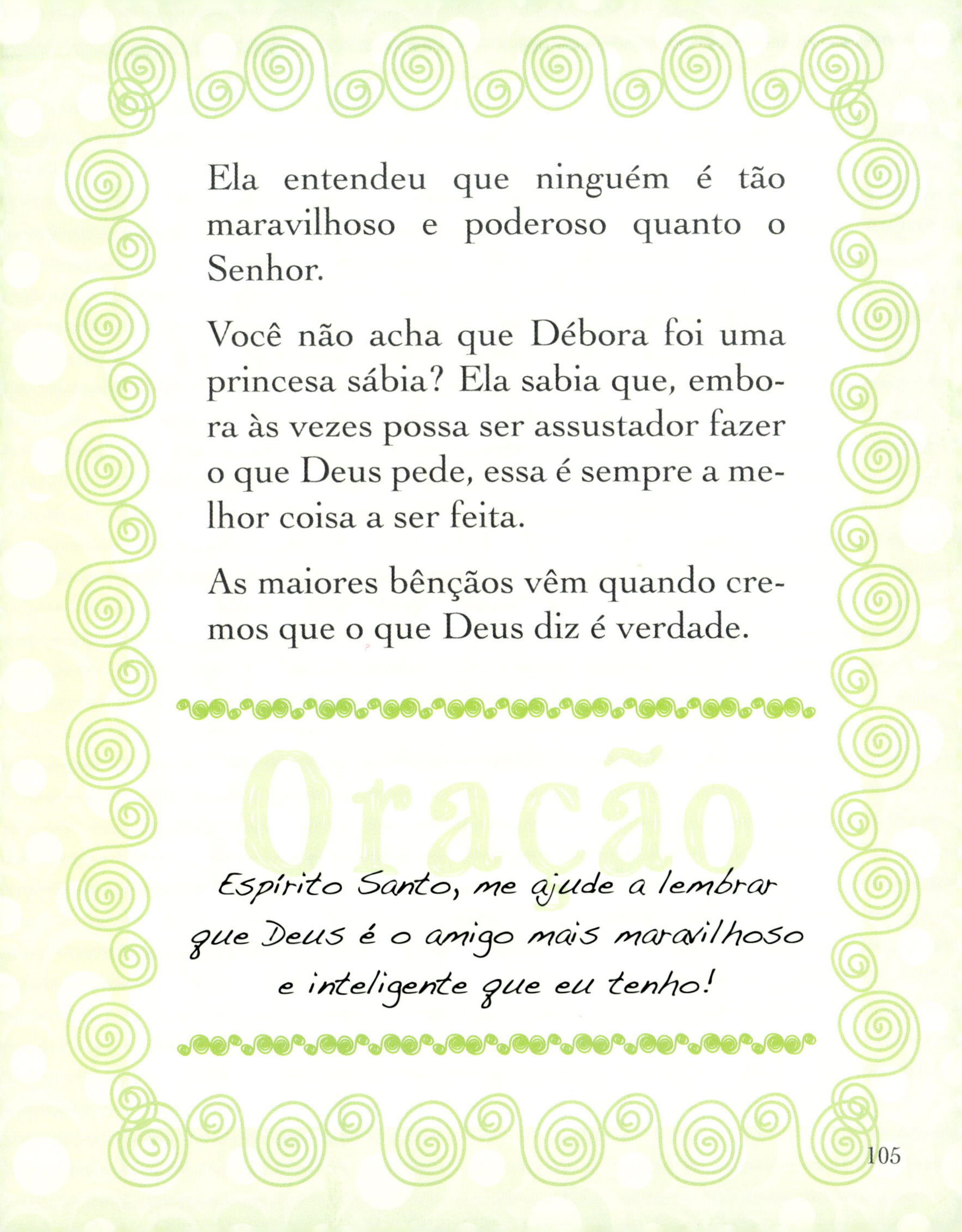

Ela entendeu que ninguém é tão maravilhoso e poderoso quanto o Senhor.

Você não acha que Débora foi uma princesa sábia? Ela sabia que, embora às vezes possa ser assustador fazer o que Deus pede, essa é sempre a melhor coisa a ser feita.

As maiores bênçãos vêm quando cremos que o que Deus diz é verdade.

Oração

Espírito Santo, me ajude a lembrar que Deus é o amigo mais maravilhoso e inteligente que eu tenho!

O exército de Gideão

JUÍZES 7:2-8

O SENHOR disse a Gideão: "Você tem muitos homens para derrotar os midianitas. Não quero que os israelitas fiquem se gabando por terem salvado a si próprios. Então, anuncie ao povo o seguinte: 'Quem estiver com medo, que saia do monte Gilboa e volte para casa.'" Então, 22 mil homens voltaram. Mas dez mil permaneceram.

Mas o SENHOR disse a Gideão: "Ainda há muitos homens. Leve todos até a beira d'água e ali eu separarei os que irão com você."

Gideão então fez com que os homens descessem até a beira d'água. Lá o SENHOR disse a ele: "Todos os homens que lamberem a água com a língua, como fazem os cachorros, devem ser separados em um grupo. Os que se ajoelharem para beber devem ficar em outro grupo." Trezentos homens usaram as mãos para levar a água à boca. Eles lamberam a água como fazem os cachorros. Todos os outros se ajoelharam para beber.

Então o SENHOR disse a Gideão: "Vou livrar vocês usando esses trezentos homens que lamberam a água. Eu permitirei que vocês derrotem os midianitas. Deixe todos os outros voltarem para casa." Então Gideão mandou os outros israelitas de volta para casa, menos aqueles trezentos.

Devocional

Já se sentiu pequena demais para servir a Deus? Talvez alguns de seus amigos sejam mais altos ou pareçam mais inteligentes que você. Você acha que Deus só usa as pessoas mais altas e mais inteligentes para trabalhar com ele?

Surpresa! Deus gosta de usar para seu trabalho pessoas baixas e pessoas altas, meninas ruivas e meninas de cabelo castanho, mas especialmente aquelas que não confiam muito nas próprias habilidades.

Veja Gideão. Deus o chamou para lutar contra um exército muito grande. Aí ele pediu a Gideão que se livrasse de quase todos os soldados dele. Apenas trezentos de seus homens foram convidados para a luta.

Isso é assustador!

Mas adivinhe? Deus derrotou os inimigos. Os homens de Gideão simplesmente obedeceram às ordens dadas para tocar as cornetas e quebrar seus jarros. Deus confundiu os inimigos e os fez lutar uns contra os outros. Eles tentaram fugir, mas foram capturados pelos homens de Gideão.

Toda vez que você achar que algo é muito difícil para você, agradeça a Deus por isso.

Lembre-se de que ele gosta de ser forte por você quando você está fraca.

Deus, o Senhor escolheu usar meninas de todos os tipos para servi-lo. Obrigada, porque o Senhor é a minha força quando eu não me sinto muito forte!

Sansão

JUÍZES 16:4-6, 17-20

Sansão se apaixonou por uma mulher chamada Dalila. Os líderes das cinco cidades dos filisteus foram falar com ela. Eles disseram assim: "Tente descobrir o que faz Sansão ser tão forte. Tente enganá-lo para que ele conte a você como podemos capturá-lo e amarrá-lo."

Então Dalila pediu a Sansão: "Por favor, me conte o segredo da sua força. Se alguém quiser amarrar você e deixar sem defesa, o que é que ele deve fazer?"

Sansão respondeu: "O meu cabelo nunca foi cortado. Eu fui dedicado a Deus como nazireu desde que nasci. Se alguém cortasse meu cabelo, eu perderia a minha força. Ficaria tão fraco como qualquer outro homem."

Quando Dalila percebeu que ele tinha dito a verdade, fez com que Sansão dormisse no seu colo. Em seguida chamou um homem, e ele cortou as sete tranças de Sansão. Então Dalila começou a provocá-lo, mas ele havia perdido a sua força...

Sansão não sabia que o SENHOR o tinha deixado.

forte

Devocional

Você sabia que, antes de seu nascimento, Deus tinha grandes planos para você? Antes de Sansão nascer, Deus tinha um plano especial para a vida dele. Deus queria que Sansão protegesse seu povo dos filisteus malvados. Então Deus deu uma força incrível a Sansão. Por um tempo, ele usou seu dom para destruir os inimigos de Israel. Mas, depois de um tempo, fez amizade com o inimigo. Como ele deixou de obedecer ao Senhor, Deus fez com que a força de Sansão desaparecesse.

A boa notícia é que Sansão se arrependeu muito e pediu a Deus que o perdoasse. Ele pediu a Deus que lhe desse força pela última vez para destruir muitos filisteus, como também o ídolo e o templo no qual eles o adoravam. Deus perdoou Sansão e o deixou terminar o trabalho para o qual ele tinha nascido.

Que dom Deus lhe deu? Fique perto de Deus e use os dons que ele lhe deu para compartilhar o amor dele com todas as pessoas que você encontrar.

Oração

Querido Jesus, me ajude a manter meus olhos no Senhor e a usar sempre meus dons para servi-lo. Peço que me ajude a cumprir meu papel na propagação do seu amor a um mundo necessitado.

Deus Fala com Samuel

1SAMUEL 3:1-10

menino Samuel servia ao SENHOR sob a direção de Eli. Naqueles dias Deus não falava diretamente ao povo com frequência. As visões também eram muito raras.

Certa noite, Eli estava deitado em sua cama. Samuel também estava na cama que ficava na Tenda Sagrada.

Então o SENHOR chamou Samuel. Ele respondeu: "Estou aqui." Ele correu para onde Eli estava e disse: "Estou aqui. O senhor me chamou?"

Mas Eli respondeu: "Eu não chamei você. Volte para a cama." E Samuel voltou.

Então o SENHOR chamou novamente: "Samuel!" Novamente o menino se levantou, foi aonde estava Eli e disse: "Estou aqui. O senhor me chamou?" E outra vez Eli respondeu: "Eu não chamei você. Volte para a cama."

Samuel não conhecia o SENHOR, pois o SENHOR ainda não havia falado diretamente com ele.

O SENHOR chamou Samuel pela terceira vez. Ele se levantou, foi aonde Eli estava e disse: "Estou aqui. O senhor me chamou?"

Então Eli compreendeu que era o SENHOR quem estava chamando o menino e lhe disse: "Volte para a cama e, se ele chamar você outra vez, diga: 'Fala, Senhor. Eu sou teu servo e estou ouvindo.'"

Então o SENHOR veio e ficou ali. E, como havia feito antes, chamou: "Samuel, Samuel!"

"Fala, Senhor. Eu sou teu servo e estou ouvindo", respondeu Samuel.

ouça

Devocional

Eli era sacerdote no templo de Deus, e Samuel era seu ajudante. Os sacerdotes deveriam ouvir as mensagens de Deus, mas Deus estava falando muito pouco naqueles dias. Samuel nunca tinha ouvido a voz de Deus.

Certa noite, quando Samuel estava dormindo, o Senhor falou com ele. O menino achou que fosse Eli falando. Por três vezes isso aconteceu, quando, finalmente, Eli se deu conta de que Deus estava falando com Samuel. Ele disse a Samuel para ouvir o Senhor, e Samuel obedeceu. Samuel tornou-se o profeta de Israel que diria ao povo o que o Senhor queria que eles soubessem.

Ainda hoje, muitos cristãos se esquecem de ouvir a voz de Deus. Eles estão ocupados demais para estudar a Bíblia ou orar. Não percebem a voz de Deus, assim como Eli. Precisamos ser como Samuel. Ouça Deus falar ao seu coração. Quando ele falar, diga ao Senhor que você está ouvindo e está disposta a obedecer.

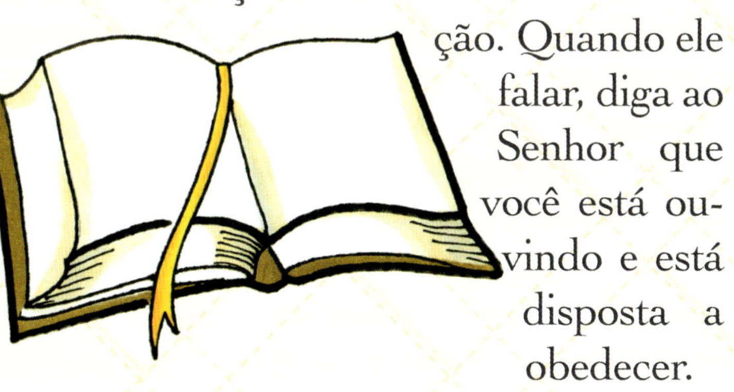

PROMESSA:

Deus ainda fala com suas Princesas por meio da Bíblia e de nossos momentos tranquilos de **ORAÇÃO** e louvor!

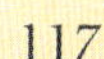

O menino Davi

1SAMUEL 16:1, 4-5, 10-13

O SENHOR disse a Samuel: "Encha uma vasilha com azeite e vá. Estou enviando você até a casa de Jessé, que mora em Belém. Eu escolhi um dos filhos dele para ser rei."

Samuel fez o que Deus mandou. Depois, consagrou Jessé e seus filhos ao SENHOR e os convidou para o sacrifício.

Jessé levou a Samuel sete dos seus filhos. Mas Samuel disse: "O SENHOR não escolheu nenhum destes." E então perguntou a Jessé: "Estes são todos os filhos que você tem?"

O homem respondeu: “Tenho mais um, o caçula, mas ele está fora, tomando conta das ovelhas.”

“Mande chamá-lo!”, disse Samuel. “Não vamos nos sentar para comer enquanto ele não vier.” Então Jessé mandou buscá-lo e ele veio.

O SENHOR disse a Samuel: “É este mesmo. Unja-o.”

Samuel pegou a vasilha de azeite e ungiu Davi na frente dos seus irmãos. E daquele dia em diante o Espírito do SENHOR apoderou-se de Davi.

Devocional

Davi não estava buscando ser alguém importante. Ele só estava cuidando das ovelhas de seu pai. Ele não fazia ideia de que Deus tinha grandes planos reservados para um menino pastor. Mas Deus tinha.

Deus falou para Samuel ir à casa de Jessé. Deus mostraria a Samuel qual dos oito filhos de Jessé seria o escolhido para ser o rei. Jessé mostrou a Samuel os sete filhos mais velhos, que pareciam muito grandes e fortes. Mas Deus não se importava com a aparência física do homem. Deus queria a pessoa cujo coração pertencesse a ele. Era Davi que andava segundo o coração de Deus, e Deus o escolheu para ser rei.

As pessoas hoje se preocupam muito com a aparência física. Tudo bem, mas Deus se preocupa muito mais com nosso coração. Ele quer ver se, lá no fundo, o amamos e obedecemos a ele.

Oração

Querido Deus, por favor, faça de mim uma pessoa que anda segundo o seu coração também. Quero amar e servir o Senhor mais do que qualquer outra coisa no mundo.

Davi luta contra Golias

1 SAMUEL 17:4, 8, 10-11, 32, 40, 42-43, 45-46

Os filisteus tinham um lutador campeão chamado Golias. Ele era da cidade de Gate e tinha quase três metros de altura.

Golias veio, parou e gritou para os soldados israelitas: "Eu desafio o exército de Israel! Mandem um de seus homens para lutar comigo!" Quando Saul e seus soldados ouviram as palavras do filisteu, ficaram apavorados.

Davi chegou e disse a Saul: "Ninguém deve ficar abatido! Eu, seu servo, irei e lutarei contra esse filisteu."

Pegou seu cajado, escolheu cinco pedras lisas no riacho e pôs na sua sacola. Pegou também a sua funda e saiu para enfrentar Golias.

Golias olhou para Davi e viu que ele era apenas um garoto. Então falou: "Você acha que eu sou algum cachorro para vir contra mim com um pedaço de pau?"

Mas Davi respondeu: "Você vem contra mim com espada, lança e dardo. Mas eu vou contra você em nome do SENHOR dos exércitos. Ele é o Deus do exército de Israel, a quem você desafiou. Hoje o SENHOR entregará você nas minhas mãos. Então o mundo inteiro saberá que há um Deus em Israel."

Devocional

Golias não era apenas grande. Ele era, na verdade, enorme — como um monstro imenso e assustador. Era maior, mais corajoso e mais forte que qualquer um dos homens do exército de Israel, e gostava de provocá-los por causa disso.

Você já se sentiu intimidada por alguém maior que você? Isso pode ser assustador demais. Todos os soldados de Israel ficaram muito amedrontados.

Davi não fazia parte do exército. Ele era apenas um jovem pastor. Mas ele ouviu as coisas ruins que Golias dizia para Israel e para Deus. Davi sabia que, sozinho, não era páreo para Golias, mas

também sabia que Deus estava do seu lado. Ele tinha certeza da vitória.

É claro que Davi venceu. Deus usou uma pedrinha que veio do estilingue de Davi para fazer o gigante Golias cair morto no chão. Como Davi, podemos ter certeza de que não importa se o valentão é grande. Deus é maior e está sempre cuidando de nós.

LOUVOR:

Deus, quero louvá-lo porque
o senhor me **PROTEJE** e luta por mim.
Posso descansar, sabendo
do seu cuidado comigo!

Salomão pede sabedoria

1REIS 3:4-9

O rei Salomão foi a Gibeom oferecer sacrifícios, pois lá ficava o principal local de adoração. Ele ofereceu naquele altar mil ofertas queimadas. Enquanto estava em Gibeom, o SENHOR apareceu a Salomão num sonho durante a noite e disse: "Peça o que você quiser e eu lhe darei."

Ele respondeu: "O SENHOR foi muito bondoso para com o seu servo, meu pai Davi. Ele lhe obedecia, era honesto e justo. O SENHOR mostrou grande bondade para com Davi ao permitir que o filho dele reinasse em seu lugar. Ó meu

Deus, o SENHOR permitiu que eu fosse o rei no lugar do meu pai. Mas eu sou como uma criança. Não tenho a sabedoria necessária para fazer o que deve ser feito. Aqui estou eu no meio do povo que o SENHOR escolheu, um povo que é tão numeroso que nem pode ser contado. Portanto, peço que me dê sabedoria para que eu possa governar o povo do jeito justo. Assim eu saberei a diferença entre o certo e o errado. Sem sabedoria é impossível governar esse seu grande povo."

Devocional

Se você pudesse ter qualquer coisa no mundo, o que escolheria? Você iria querer um cachorrinho, um pônei ou um castelo cor-de-rosa só seu? Deus ofereceu a Salomão uma escolha incrível. Ele disse que Salomão podia pedir qualquer coisa que desejasse.

Salomão pediu dinheiro? Ele estava atrás de fama ou poder? Não, Salomão tinha sido muito bem-educado por seus pais. Ele sabia que nada neste mundo valia tanto quanto a sabedoria. Ele queria saber governar bem, como rei, o povo de

Deus. Então, pediu sabedoria. Deus fez de Salomão o homem mais sábio que já viveu. E Deus ficou tão satisfeito com aquela escolha que lhe acrescentou fama e dinheiro.

Deus quer que lhe peçamos sabedoria também. Ele fica mais que feliz em nos ensinar sua verdade, assim como fez por Salomão.

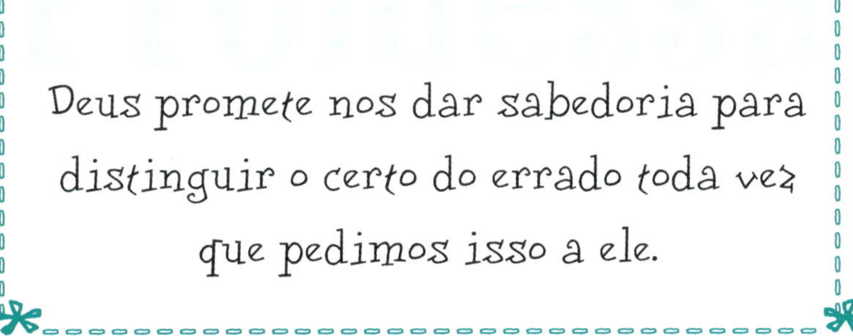

A carruagem de fogo de Elias

2REIS 2:6-12

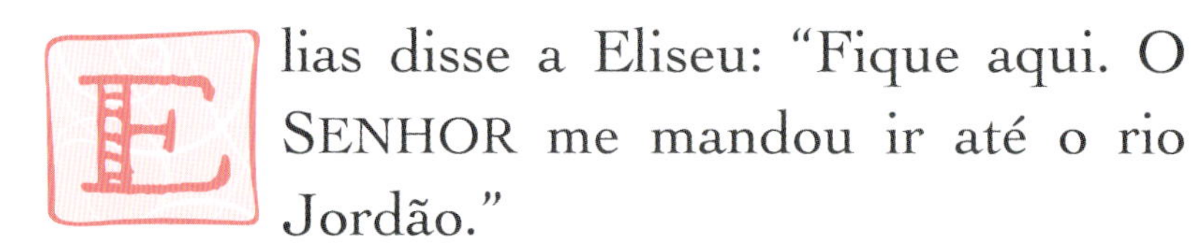

Elias disse a Eliseu: "Fique aqui. O SENHOR me mandou ir até o rio Jordão."

Mas Eliseu respondeu: "Assim como Deus vive, assim como o SENHOR está vivo, do mesmo modo não vou deixá-lo."

Então eles saíram, e cinquenta profetas os seguiram até o rio Jordão. Elias e Eliseu pararam perto do rio, e os profetas ficaram olhando de longe. Elias tirou a sua capa, enrolou-a e bateu com ela na água. A água se abriu, e ele e Eliseu passaram para o outro lado, andando em terra seca.

Depois de terem cruzado o rio, Elias disse a Eliseu: "O que posso fazer em seu favor antes que eu seja levado para longe de você?"

Eliseu então pediu: “Dê-me uma porção dupla do seu espírito.”

“Esse pedido é difícil de atender”, respondeu Elias. “Mas você receberá o que está me pedindo se me vir quando eu estiver sendo levado para longe. Se você não me vir, não receberá.”

E assim Elias e Eliseu foram andando e conversando. De repente, uma carruagem de fogo puxado por cavalos de fogo os separou um do outro. Elias foi levado para o céu num redemoinho. Eliseu viu o que aconteceu e gritou: “Meu pai, meu pai! O senhor sempre era como os carros de guerra e os cavaleiros de Israel!” E nunca mais ele viu Elias.

Devocional

Você já teve de dizer adeus para alguém a quem amava quando essa pessoa partiu deste mundo rumo ao lar maravilhoso que ela terá no céu? Eliseu teve. Ele havia trabalhado tão próximo ao profeta Elias que o chamava de pai.

Um dia, Deus disse que era hora de Elias ir para o lar dele no céu. Elias contou a Eliseu e aos outros profetas que isso iria acontecer. Mesmo sabendo que Elias estaria em um lugar melhor, Eliseu ficou muito triste. Ele perderia o amigo. É difícil dizer adeus.

Senhor, obrigada pela promessa do céu. Obrigada, porque o Senhor está **SEMPRE** *conosco aqui na terra também.*

Deus levou Elias para o céu em uma carruagem de fogo. Mas Eliseu não ficou sozinho. Deus respondeu à oração dele e pôs sobre ele seu próprio espírito. Eliseu sabia que Deus sempre estaria com ele, assim como tinha estado com Elias.

Josias, o rei menino

2CRÔNICAS 34:1-2, 29-33

Josias tinha oito anos quando se tornou rei. Ele governou por 31 anos em Jerusalém e fez o que Deus disse que era correto. Ele fez coisas boas, assim como seu antepassado, o rei Davi, havia feito. Josias nunca deixou de fazer o que era certo.

O rei Josias mandou que todos os líderes de Judá e de Jerusalém se reunissem, e então foram juntos até o templo do SENHOR. Todos os homens de Judá e todo o povo de Jerusalém foram com ele. Os sacerdotes, os levitas e todo o povo, desde o mais simples até o mais importante, o acompanharam. Então o rei leu para eles todo o Livro da Aliança, que havia sido achado no Templo.

Ele ficou perto da coluna real, em pé, e fez uma aliança na presença do SENHOR. Ele se comprometeu a seguir o SENHOR e a obedecer de todo o coração e de toda a alma a todos os mandamentos, decretos e leis de Deus. Ele prometeu obedecer a todas as palavras da aliança escritas naquele livro. Então Josias fez com que todo o povo de Jerusalém e da tribo de Benjamim se comprometesse com a aliança. Assim os moradores de Jerusalém cumpriram a aliança feita com Deus, o Deus dos seus antepassados.

Josias fez com que todos os que estavam em Israel servissem ao SENHOR, o seu Deus. Enquanto Josias viveu, o povo obedeceu ao SENHOR, o Deus dos seus antepassados.

rei

Israel tinha sido muito mau. Rei após rei tinha levado o povo a fazer o que era errado, adorando ídolos no lugar do verdadeiro Deus.

Então veio Josias. Ele tinha só oito anos quando se tornou rei. Imagine você se tornar uma rainha no quarto ano! Josias amava Deus de todo o coração. Ele destruiu todos os lugares onde o povo tinha levantado ídolos. Em seguida, ele contratou trabalhadores para reconstruírem o tem-

plo de Deus que tinha desmoronado antes de Josias se tornar rei.

Quando estavam reconstruindo o templo, as pessoas descobriram o tesouro secreto!

Encontraram o livro da Palavra de Deus, como havia sido dito a Moisés. Josias ouviu pela primeira vez o que Deus tinha a dizer no livro dele. Ele fez com que o livro fosse lido a todo o povo. O povo de Israel se arrependeu muito pela forma como havia tratado Deus, mas ele perdoou seu povo.

Senhor, por favor, me ensine a
sua Palavra e me ajude
a conhecer os seus caminhos
e a **SEGUI-LOS** de todo o meu coração,
assim como Josias.

Ester torna-se rainha

ESTER 2:7-8, 12, 15-17

Mordecai tinha uma prima chamada Hadassa, que não tinha pai nem mãe. Então Mordecai tomava conta dela. Hadassa também era chamada de Ester e era muito bonita e formosa. Mordecai a adotou e a criou como se fosse sua filha depois que os pais dela morreram.

Quando a ordem e o decreto do rei foram proclamados, muitas moças foram levadas ao palácio de Susã.

Antes que uma delas pudesse se apresentar ao rei Xerxes, era preciso passar por um tratamento de beleza que durava 12 meses. Esse tratamento era obrigatório para as mulheres. Durante seis meses a moça era tratada com óleo e mirra. Depois eram usados perfumes e cosméticos.

Terminado o tratamento, cada moça era levada ao rei Xerxes...

Ester era filha de Abiail, tio de Mordecai, que a tinha adotado. Quando chegou sua vez de ser levada diante do rei, ela pediu apenas o que Hegai lhe havia sugerido que pedisse — Hegai era o eunuco do rei que estava encarregado do harém. Todo mundo que conhecia Ester gostava dela. Então ela foi levada ao rei Xerxes no palácio real.

O rei ficou mais satisfeito com ela do que com qualquer outra virgem. Ele gostou mais de Ester do que de qualquer outra. Então, o rei Xerxes colocou a coroa na cabeça de Ester e a fez rainha.

Devocional

Você sabia que Deus uma vez salvou Israel usando um concurso de beleza para escolher a Miss Pérsia? Bem, foi mais ou menos isso. O rei Xerxes da Pérsia precisava de uma nova rainha. Seus servos disseram que ele deveria fazer com que todas as moças mais bonitas do reino se apresentassem diante dele. Ele poderia escolher aquela de que mais gostasse.

Xerxes não sabia, mas Deus já tinha escolhido a pessoa certa. De acordo com os planos de Deus, Ester iria se tornar a próxima rainha por uma razão importante. Ester era judia. A princípio, ela não contou isso a ninguém, porque alguns persas não gostavam dos judeus. Mas, quando Ester foi à presença do rei, ele gostou dela mais do que do restante das moças e a fez rainha.

Mais tarde, um homem malvado chamado Hamã tentou fazer com que todos os judeus na Pérsia fossem mortos. Ester ficou sabendo do plano diabólico dele e pôde salvar o povo de Deus porque era a rainha.

oração

Pai, que boas obras o Senhor tem planejado para que eu faça? Por favor, me mostre, para que eu possa trabalhar com o Senhor a fim de edificar o seu reino.

Uma oração poderosa

SALMOS 23:1-6

O SENHOR é o meu pastor. Tenho tudo de que preciso.

Ele me dá descanso em pastos verdes e me leva a águas tranquilas.

O SENHOR renova as minhas forças. Pelo bem de seu nome, ele me guia por caminhos que são os corretos.

Mesmo que eu ande por um vale muito escuro, não terei medo porque o SENHOR, ó Deus, está comigo.

Sua vara e seu cajado me confortam, SENHOR.

O SENHOR prepara uma refeição para mim na frente dos meus inimigos; me unge com bênçãos e me dá mais do que eu posso reter.

Certamente sua bondade e seu amor estarão comigo, Deus, por toda a minha vida. E eu viverei na casa do SENHOR para sempre.

Devocional

Você sabe o que Davi fazia antes de ser rei? Você acha que ele entregava pizza ou entregava jornais sentado em um jumento? Não, ele era pastor! Ele passava muitos dias no campo cuidando das ovelhas de seu pai. Deus ensinava muitas lições boas a Davi quando ele estava fora, sozinho com as ovelhas. Davi começou a compreender que Deus era o pastor dele também. Ele entendeu que o Senhor era bom e que lhe tinha dado tudo aquilo de que precisava para viver bem e desfrutar de Deus.

O salmo 23 é uma oração formidável que Davi escreveu para nos ajudar a lembrar que Deus cuida de nós também. Deus diz que somos como ovelhas, e Jesus é como nosso pastor. Ele nos guarda de dia e de noite. Ele nos conduz aos lugares certos para aprendermos sobre ele. E promete nos levar com ele um dia para o nosso lar no céu.

Jesus, o Senhor é o meu admirável pastor e eu o louvo por isso. Obrigada por me proteger e por ficar perto de mim o tempo todo.

Tempo para todas as coisas

ECLESIASTES 3:1-8

Existe um tempo certo para tudo.

Todas as coisas do mundo têm a sua ocasião especial.

Há tempo de nascer e um tempo de morrer.

Há tempo de plantar e tempo de arrancar as plantas.

Há tempo de matar e tempo de curar.

Há tempo de derrubar e tempo de construir.

Há tempo de chorar e tempo de rir.

Há tempo de ficar triste e tempo de dançar.

Há tempo de espalhar pedras e tempo de juntá-las.

Há tempo de abraçar e tempo de se conter.

Há tempo de procurar e tempo de desistir.

Há tempo de guardar e tempo de jogar fora.

Há tempo de rasgar e tempo de remendar.

Há tempo de ficar calado e tempo de falar.

Há tempo de amar e tempo de odiar.

tempo

Devocional

O que você gosta de fazer mais do que qualquer coisa? Você gosta de brincar com seus amigos? Andar de bicicleta? Ler histórias engraçadas? Cantar em voz alta?

Deus nos deu tantos presentes maravilhosos na vida. Ele nos ama e fica feliz quando nos vê apreciando o mundo que ele criou. Ele lhe deu pernas para saltar, mas não para fazer isso dentro da sala de aula. Ele lhe deu a boca para falar, mas não enquanto seu pastor está falando na igreja. Ele lhe deu uma família e amigos com quem brincar, mas também lhe pediu que ajudasse com o serviço de casa.

Deus nos deu todas as coisas boas, e precisamos desfrutar de cada uma delas no tempo certo.

LOUVOR:

Obrigada, Deus, por
fazer a vida tão **DIVERTIDA**!
Me ajude a desfrutar do melhor
de tudo o que o Senhor tem
para mim no tempo certo.

Quatro homens em uma fornalha

DANIEL 3:14-17, 21, 25-28

O rei Nabucodonosor disse: "Sadraque, Mesaque e Abede-Nego, vocês precisam se dispor a se ajoelhar e adorar a estátua que eu fiz. Se não, vocês serão jogados na hora numa fornalha ardente.

Sadraque, Mesaque e Abede-Nego responderam assim: "Ó rei Nabucodonosor, nós não precisamos nos defender do senhor. Pode nos jogar na fornalha ardente. O Deus a quem servimos é capaz de nos salvar da fornalha e nos livrar do seu poder."

Então Sadraque, Mesaque e Abede-Nego foram amarrados e jogados na fornalha ardente.

Em seguida, o rei disse: "Olhem! Vejo quatro homens. Eles estão andando ao redor do fogo. Não estão amarrados nem queimados. O quarto homem se parece com um filho dos deuses."

Então Nabucodonosor foi até a entrada da fornalha e gritou: "Sadraque, Mesaque e Abede-Nego, saiam! Servos do Deus Altíssimo, venham aqui!"

Assim, os três saíram do fogo. O cabelo deles não estava queimado nem suas roupas. Eles nem sequer tinham cheiro de fumaça.

O rei, então, proclamou: "Que o Deus de Sadraque, Mesaque e Abede-Nego seja louvado! Ele enviou o seu anjo e salvou seus servos do fogo."

Devocional

Você já assou queijo em uma fogueira? Deu para sentir o calor em sua pele enquanto estava sentada ao lado dela?

Sadraque, Mesaque e Abede-Nego sentiram o calor de uma fogueira uma vez. Só que, em vez de pedaços de queijo, eram eles que deveriam ser assados!

Sadraque, Mesaque e Abede-Nego se recusaram a se curvar diante do ídolo que o rei Nabucodonosor tinha feito. Eles disseram que só adoravam o Deus verdadeiro. Isso deixou o rei com tanta raiva que ele fez com que os três fossem jogados em uma fornalha acesa. Ela estava tão quente que queimou os soldados que os jogaram lá dentro! Mas os homens de Deus não se machucaram. Na verdade, Nabucodonosor viu um quarto homem andando com eles lá dentro! Jesus tinha vindo para protegê-los na fornalha ardente.

Nabucodonosor percebeu que estava adorando o deus errado. Ele tirou os homens do fogo e disse ao seu reino que todos agora serviriam ao único Deus verdadeiro.

Oração

Querido Jesus, me ajude a ser corajosa como Sadraque, Mesaque e Abede-Nego. Quero sempre defender o Senhor como eles fizeram, seja qual for o preço.

Daniel na cova dos leões

DANIEL 6:6-7, 9-10, 13, 16, 19-22

Os supervisores e os governadores formaram um grupo e foram falar com o rei. Eles disseram: "Concordamos que o senhor deveria emitir o seguinte decreto, ao qual todos devem obedecer: Ninguém deve orar a qualquer deus ou a qualquer homem, a não ser ao senhor. Isso deve ser seguido pelos próximos trinta dias. Ordene que durante trinta dias todos façam os seus pedidos somente ao senhor. Se alguém desobedecer, essa pessoa será jogada na cova dos leões." Assim, o rei Dario emitiu e assinou o decreto.

Quando Daniel soube da assinatura da nova ordem, voltou para casa. Ele orou, dando graças ao seu Deus, como sempre fazia.

Então aqueles homens disseram ao rei: "Daniel não está seguindo a lei que o senhor assinou. Daniel ainda ora ao Deus dele três vezes por dia."

Com isso, o rei Dario deu a ordem. Trouxeram Daniel e o jogaram na cova dos leões. E o rei disse a Daniel: "Espero que o seu Deus, a quem você serve todo o tempo, o salve."

Na manhã seguinte o rei Dario foi depressa até a cova dos leões. Ao se aproximar ele disse: "Daniel, servo do Deus vivo! Será que o seu Deus a quem você adora conseguiu salvá-lo dos leões?"

Daniel respondeu: "Que o rei viva para sempre! O meu Deus mandou o seu Anjo para fechar a boca dos leões. Eles não me feriram."

Devocional

Você gosta de falar com Deus, princesa? Daniel gostava muito de orar. Ele se ajoelhava para falar com Deus três vezes por dia. E Deus amava Daniel. Mas os homens maus do reino do rei Dario odiavam Daniel e queriam vê-lo morto. Eles convenceram o rei Dario a fazer uma lei segundo a qual todos do reino deveriam orar somente ao rei. Daniel ficou sabendo da lei, mas, mesmo assim, continuou a orar a Deus.

A lei determinava que Daniel tinha de ser jogado na cova dos leões porque ele a desobedeceu. O rei Dario ficou muito triste, porém não pôde ajudar Da-

O Senhor é o Deus que **SALVA**! Quero louvá-lo porque o Senhor é bom e tem o **PODER** de fazer o bem ao seu povo!

niel. Mas adivinhe quem podia? Isso mesmo! Deus salvou Daniel. Ele fechou a boca dos leões famintos. No dia seguinte, o rei Dario foi correndo até a cova dos leões para ver se Daniel estava vivo. Daniel contou a Dario que Deus o tinha salvado. O rei Dario ficou muito feliz! Ele tirou Daniel dali e disse a todos do reino que, dali em diante, eles deveriam orar somente ao Deus de Daniel.

Jonas e o grande peixe

JONAS 1:3-5, 11-12, 15, 17

Jonas foi à cidade de Jope. Lá encontrou um navio que estava de partida para a cidade de Társis. Ele quis ir a Társis para fugir do SENHOR.

No entanto, Deus mandou um vento forte ao mar. Esse vento fez o mar ficar violento, e assim o navio corria o risco de se partir ao meio. Os marinheiros estavam com muito medo.

O vento e as ondas do mar foram ficando cada vez mais fortes. Então os homens perguntaram a Jonas: "O que devemos fazer com você para que o mar se acalme?"

Jonas respondeu: "Vocês me peguem e me joguem no mar, que ele ficará calmo. Eu sei que é por minha culpa que esta tempestade terrível caiu sobre vocês."

Em seguida, os marinheiros pegaram Jonas e o jogaram no mar, e logo o mar se acalmou.

O SENHOR fez com que um grande peixe engolisse Jonas. E ele ficou no estômago do peixe por três dias e três noites.

calma

Devocional

Você sabe o que significa se arrepender? Arrepender-se significa admitir que você está errada. Significa pedir perdão a Deus. Quando está arrependida de verdade, você deixa de fazer o que é errado e começa a fazer o que é certo.

Nínive era uma cidade cheia de pessoas que ignoravam Deus. Então Deus disse a Jonas para ir a Nínive. Ele queria que Jonas avisasse os ninivitas que Deus teria de castigá-los se eles não se arrependessem.

Mas havia um problema. Jonas não queria ir para Nínive. Ele não gostava

daquele povo de jeito nenhum. Então ele pulou em um barco que estava indo para o outro lado. Deus deteve Jonas com uma terrível tempestade. As pessoas que estavam no barco jogaram Jonas no mar, onde um peixe gigante o engoliu. Jonas compreendeu que precisava se arrepender, assim como os ninivitas. Ele se voltou para Deus, e Deus o salvou. Então Deus usou Jonas para salvar Nínive também!

LOUVOR:

Querido Deus, o Senhor
é tão paciente comigo!
Obrigada pela **DÁDIVA**
do perdão.

Gabriel visita Maria

LUCAS 1:26-35, 38

Deus enviou o anjo Gabriel até uma virgem que vivia na Galileia, numa cidade chamada Nazaré. Ela estava noiva de um homem chamado José, que era da família de Davi. O nome dela era Maria. O anjo veio e disse: "Saudações! O Senhor a abençoou e está com você."

Porém Maria ficou muito confusa com o que o anjo disse. Ela pensou: "O que será que ele quis dizer?"

O anjo então disse a ela: "Não tenha medo, Maria, porque Deus está contente com você. Ouça! Você ficará grávida, dará à luz um filho e porá nele o nome de Jesus. Ele será grandioso e será chamado de Filho do Altíssimo. O Senhor Deus lhe dará o trono de Davi, seu ancestral. Ele reinará para sempre sobre o povo de Jacó. O reino dele nunca acabará."

Maria disse para o anjo: "Como isso vai acontecer? Eu sou uma virgem!"

O anjo lhe respondeu: "O Espírito Santo virá sobre você, e o poder do Deus Altíssimo a cobrirá. O bebê será santo. Ele será chamado Filho de Deus."

Maria então falou: "Eu sou uma serva do Senhor. Que aconteça comigo o que o senhor acabou de me dizer!" Aí o anjo foi embora.

anjo

Devocional

Dá para imaginar como Maria deve ter se sentido? Ela estava em Nazaré, sua cidade natal. Ela provavelmente estava planejando seu casamento e lidando com os afazeres domésticos, como de costume. De repente, um anjo apareceu do nada!

No começo, ela ficou assustada. Por que Deus enviou um anjo à casa dela? Gabriel, o anjo, disse à Maria para não ter medo, porque Deus a tinha escolhido para desempenhar um papel muito especial na vinda de Deus à terra. Lá atrás, quando Adão e Eva pecaram, Deus prometeu enviar alguém que iria salvar seu povo. Depois de esperar milhares de anos, o tempo havia chegado. Deus escolheu Maria para ser a mãe de seu único filho, Jesus. Ele salvaria o povo de Deus de seus pecados.

Ela sabia que não seria fácil, mas concordou com o plano de Deus. Maria pertencia a Deus e ficou alegre por poder servir a ele dessa maneira especial.

oração

Senhor, por favor, faça com que eu me disponha a servi-lo de todas as maneiras possíveis. Eu também quero participar do trabalho do seu reino!

Maria visita Isabel

LUCAS 1:35-37, 39-45

O anjo disse a Maria: "Ouça bem! Isabel, sua parenta, está muito velha. Mas ela também está grávida de um filho. Todos acreditam que ela não pode ter um bebê, mas ela está grávida de seis meses. Deus pode fazer todas as coisas!"

Maria se aprontou e foi depressa para uma cidade que ficava na região montanhosa da Judeia. Ela foi à casa de Zacarias e cumprimentou Isabel. Quando Isabel ouviu a saudação de Maria, o bebê se mexeu na barriga dela. Então Isabel ficou cheia do Espírito Santo, e disse bem alto: "Deus abençoou você mais do que a qualquer outra mulher. E ele abençoou também o bebê que você dará à luz. Você é a mãe do meu Senhor e vem me visitar! Por que algo tão bom aconteceu comigo? Quem sou eu para que a mãe do meu Senhor venha me visitar? Quando ouvi sua voz o bebê pulou de alegria dentro de mim. Você é abençoada, pois acredita que o que o Senhor lhe disse vai realmente acontecer."

Devocional

Isabel era muito mais velha que Maria e era casada com um homem chamado Zacarias. Mesmo tendo passado da idade normal para ter um bebê, Deus pôs um menino dentro dela. O filho dela ajudaria a preparar o coração das pessoas para que elas estivessem prontas para Jesus.

As duas mulheres estavam carregando na barriga esses bebês especiais. Um dia, Maria foi visitar Isabel. Assim que Isabel viu Maria, o bebê dentro dela pulou de alegria! Isabel percebeu no mesmo instante que seu bebê estava eufórico por causa do bebê que Maria carregava na barriga!

Como bebês que ainda nem nasceram podiam saber o que estava acontecendo? Deus estava agindo. Deus fez o milagre acontecer e deixou que as duas mamães o percebessem. Isso ajudou as duas mulheres a entender que fariam parte de algo, de fato, muito importante e muito especial. Elas se encheram de gratidão a Deus pela bênção que ele lhes tinha dado.

LOUVOR:

O Senhor é um Deus de milagres!
Louvo o seu nome porque o seu **PLANO**
é melhor que qualquer outro.
Isso me faz querer **DANÇAR**
um pouquinho também!

Nasce o bebê Jesus

LUCAS 2:1-7

Naquele tempo o imperador Augusto César emitiu uma ordem para todas as pessoas dos países que estavam sob o governo de Roma. Todas as pessoas deviam registrar os nomes numa lista. Foi o primeiro recenseamento feito quando Cirênio era governador da Síria. Então todos foram se registrar, cada um na sua própria cidade.

Por isso José deixou a cidade Nazaré, na Galileia, e foi para a região da Judeia, a uma cidade chamada Belém, conhecida como cidade de Davi. José foi registrar-se lá porque era descendente de Davi. José se registrou com Maria, porque eles estavam perto de se casar e ela agora estava grávida. Quando chegou a época de o bebê nascer, Maria estava em Belém. Ela deu à luz seu primeiro filho. Não havia quartos disponíveis nas pousadas. Então Maria enrolou o bebê em panos e o deitou no recipiente em que os animais se alimentavam.

Devocional

Augusto César queria saber o número de pessoas que ele governava. Não era porque ele queria saber quantos presentes de aniversário talvez tivesse de comprar. Era porque ele poderia fazer todas aquelas pessoas pagarem impostos. Então ele pediu que todos voltassem à cidade de onde eram provenientes e se registrassem. José era de Belém, por isso ele e Maria carregaram um jumento e começaram a longa viagem.

O que ninguém sabia na época era que Deus estava agindo. Ele estava cumprindo sua promessa. Centenas de anos antes de Maria e José, os profetas de Deus tinham dito que o Messias nasce-

O Senhor é o Deus que cumpre promessas! Obrigada, **JESUS**, por vir à terra como um de nós para nos **SALVAR** de nossos pecados.

ria em Belém. Eles tinham dito que ele nasceria em um lugar simples, aninhado em uma manjedoura.

O nascimento de Jesus aconteceu exatamente como eles disseram. Maria e José não conseguiram encontrar um quarto porque a cidade estava muito cheia de gente. Em vez disso, Maria deu Jesus à luz em um estábulo junto com os animais. Que maneira humilde usada por Deus para trazer seu próprio filho ao mundo!

Os pastores nos campos

LUCAS 2:8-18

Alguns pastores estavam nos campos próximos, tomando conta dos rebanhos de ovelhas. Um anjo do Senhor apareceu diante deles. A glória do Senhor brilhou ao redor deles e de repente eles ficaram aterrorizados. Mas o anjo lhes disse: "Não tenham medo, porque estou trazendo boas-novas para vocês. Isso será motivo de grande alegria para todo o povo! Hoje nasceu o Salvador de vocês, na cidade de Davi. Ele é o Cristo, o Senhor! Vocês o conhecerão assim: encontrarão um bebê enrolado em panos e deitado numa manjedoura."

Em seguida um grupo enorme de anjos se juntou ao primeiro anjo. Todos eles louvavam a Deus, dizendo: "Deem glória a Deus no céu, e na terra haja paz para as pessoas a quem ele quer bem!"

Então os anjos deixaram os pastores e voltaram para o céu. Os pastores disseram uns aos outros: "Vamos até Belém para ver o que aconteceu. Vejamos aquilo que o Senhor nos contou."

Eles foram depressa, e encontraram Maria e José, e viram o menino deitado na manjedoura. Então contaram o que os anjos tinham dito a respeito daquela criança. Todos os que ouviram o que os pastores disseram ficaram muito admirados.

Salvador

Devocional

A noite estava escura e fria. A princípio, parecia ser como qualquer outra noite debaixo das estrelas, com o rebanho de ovelhas sendo observado. Então o anjo apareceu. A glória de Deus começou a brilhar em volta dos pastores. Eles mal sabiam em que pensar, mas sabiam que estavam com medo.

O anjo disse que eles não precisavam temer. Na verdade, ele queria que eles se alegrassem. Um grande dia havia chegado para o povo de Deus. O Salvador prometido da família de Davi, finalmente, tinha nascido. Aí o anjo convidou os pastores a irem ver o bebezinho com os próprios olhos.

Milhares e milhares de outros anjos se juntaram ao anjo. Eles encheram o céu da noite de belos louvores a Deus pela bondade dele. Os pastores ficaram impressionados. Eles saíram correndo para o lugar onde estava Jesus e o adoraram.

Oração

Querido Jesus, seu convite é para que todos venham ao Senhor. Eu me coloco em sua presença agora, assim como os pastores, e o adoro.

Os magos Visitam Jesus

MATEUS 2:1-2, 8-12

Jesus nasceu na cidade de Belém, na região da Judeia, quando Herodes era o rei. Depois que Jesus nasceu, alguns sábios do oriente vieram a Jerusalém. Eles perguntaram: "Onde está o bebê que nasceu para ser o rei dos judeus? Vimos a estrela dele no oriente e viemos adorá-lo."

Herodes mandou os sábios a Belém, mas disse a eles: "Vão e procurem informações bem certas sobre o menino. Quando o encontrarem, voltem e me avisem. Assim poderei ir adorá-lo também."

Os sábios ouviram o rei e depois partiram. No caminho viram a estrela, a mes-

ma que tinham visto no Oriente. Ela foi adiante deles e parou acima do lugar onde o menino estava. Quando viram a estrela, eles ficaram muito alegres. Eles entraram na casa e encontraram o menino com Maria, a sua mãe. Então se ajoelharam diante dele e o adoraram. Depois abriram os presentes que trouxeram para ele: ouro, incenso e mirra.

Porém num sonho Deus advertiu os sábios a não voltarem para falar com Herodes. Por isso eles voltaram para o seu país por outro caminho.

Devocional

Você já ficou até tarde da noite no campo? Olhou para as estrelas no céu? Quanto mais longe das luzes da cidade você estiver, mais forte as estrelas parecem brilhar.

Há muito tempo, alguns magos ficaram olhando para as estrelas. Eles esperavam e procuravam por uma estrela especial. Eles sabiam que, quando essa estrela aparecesse no céu, o Salvador do mundo teria chegado. Finalmente, eles viram a tal estrela! Carregaram seus camelos e viajaram para o oeste, seguindo a estrela pelo caminho que levava a Belém. Quando encontraram Jesus, ele ainda era um menininho. Contudo, os sábios lhe deram muitos presentes caros que eram dignos de um rei. Embora Jesus fosse apenas uma criança, os sábios sabiam que ele era o rei que tinha vindo para salvá-los. Aqueles adultos se ajoelharam e adoraram Jesus.

ORAÇÃO:

Querido Jesus, obrigada pelas
belas estrelas que o Senhor criou.
Toda vez que eu vir uma **ESTRELA**,
me ajude a lembrar
de adorá-lo.

Para onde ele foi?

LUCAS 2:41-50

Todos os anos os pais de Jesus iam a Jerusalém para a festa da Páscoa. Quando Jesus tinha 12 anos, eles foram à festa, como sempre fizeram. Quando os dias de festa terminaram, eles começaram a viagem de volta para casa.

O menino Jesus ficou em Jerusalém, mas seus pais não sabiam disso. Eles pensavam que ele estivesse no grupo de pessoas que vinha voltando. E, assim, começaram a procurá-lo entre os parentes e amigos, mas não o encontraram. Então, voltaram a Jerusalém para procurá-lo. Três dias depois encontraram Jesus no templo, sentado no meio dos mestres religiosos, ouvindo-os e fazendo-lhes perguntas. Todos os que ouviam Jesus ficavam muito admirados com a sua inteligência e com as respostas que dava. Quando os pais viram o menino, também ficaram admirados. E a sua mãe lhe disse: "Meu filho, por que foi que você fez isso conosco? O seu pai e eu estávamos muito aflitos procurando você."

Jesus respondeu com uma pergunta: "Por que vocês estavam me procurando? Vocês deveriam saber que eu preciso estar onde o trabalho de meu Pai está!"

Mas eles não entenderam o significado do que ele disse.

Devocional

Você já esteve separado de sua mãe ou de seu pai por uns minutinhos? Isso aconteceu com Jesus quando ele tinha 12 anos, e a mãe e o pai dele ficaram em pânico. Eles não conseguiam encontrá-lo! Ele deveria estar voltando para casa com eles, regressando de Jerusalém, mas não foi encontrado em nenhum lugar. Os pais o procuraram por três longos dias. Por fim, eles o encontraram nos pátios do templo fazendo perguntas aos mestres. Maria e José não conseguiam acreditar. "Estávamos muito aflitos!", disseram eles.

Jesus os fez lembrar de que ele não era simplesmente um filho comum. Ele era Filho de Deus. A casa do Pai era o lugar dele. Era difícil para Maria e José se lembrarem de que o mesmo menino que eles estavam criando também era o Messias prometido. Mas Maria guardou aquela lição no coração e aprendeu a confiar mais em Deus.

Você está procurando Jesus também? Você irá encontrá-lo quando o buscar em oração e na Palavra de Deus.

promessa

Deus promete que iremos encontrá-lo quando o buscarmos de todo o coração.

João batiza Jesus

MATEUS 3:1-2, 4-6, 13-17

Naquele tempo João Batista foi para o deserto da Judeia e começou a pregar, dizendo: "Modifiquem seus corações e mentes, porque o Reino do Céu está perto!"

João usava roupas feitas de pelos de camelo e um cinto de couro em volta da cintura. Ele comia gafanhotos e mel silvestre. Os moradores de Jerusalém, da região da Judeia e de todos os lugares em volta do rio Jordão iam ouvi-lo pregar. Eles contavam a João os pecados que haviam cometido, e João os batizava no rio Jordão.

Naqueles dias, Jesus foi da Galileia até o rio Jordão a fim de ser batizado por João

Batista. Mas João tentou convencê-lo a mudar de ideia, dizendo assim: "Por que você vem a mim para ser batizado? Eu é que deveria ser batizado por você!"

Mas Jesus respondeu: "Deixe que seja assim por enquanto. Temos de fazer tudo que é correto." Então João concordou em batizar Jesus.

Logo que foi batizado, Jesus saiu da água. O céu se abriu, e Jesus viu o Espírito de Deus descer como uma pomba e pousar sobre ele. E do céu veio uma voz, que disse: "Este é o meu Filho e eu o amo. Ele me dá muita satisfação."

Gostaria de alguns gafanhotos malpassados para o café da manhã? Não? João Batista teria gostado. Ele comia gafanhotos e mel o tempo todo.

É claro que João era muito diferente da maioria das pessoas. Ele usava roupas feitas de pele de camelo e sempre dizia às pessoas que elas deveriam se arrepender e voltar para Deus. Depois, ele as batizava. Para surpresa geral, as pessoas vinham de todas as partes para ouvir esse homem estranho.

Um dia, Jesus veio até o rio também. Ele pediu a João para batizá-lo. João não queria fazer isso. Ele queria que, em vez disso, Jesus o batizasse. Mas Jesus disse que as coisas tinham de ser daquele jeito. João batizou Jesus, e Deus abriu os céus. O Espírito Santo desceu voando em direção a Jesus na forma de uma pomba e pousou no ombro dele. Deus falou em voz alta e disse que estava satisfeito com Jesus, seu Filho. João e os outros perceberam que Jesus era o Salvador que há muito eles esperavam.

LOUVOR:

Jesus, louvo seu nome porque o Senhor
é perfeito em todos os sentidos.
Ao satisfazer o Pai,
o Senhor me faz
PERFEITA aos olhos dele também.

Jesus é tentado

MATEUS 4:3-11

O Diabo veio a Jesus para tentá-lo e disse: "Se você é o Filho de Deus, mande que estas pedras virem pão."

Jesus respondeu: "Está escrito nas Escrituras: 'Uma pessoa não vive só de pão, mas vive de tudo o que o Senhor diz.'"

Em seguida o Diabo levou Jesus até Jerusalém, a Cidade Santa, e o colocou no lugar mais alto do templo. Então disse: "Se você é o Filho de Deus, pule daqui."

Jesus respondeu: "As Escrituras também dizem: 'Não teste o Senhor, seu Deus.'"

Depois o Diabo levou Jesus para um monte muito alto, mostrou-lhe todos os reinos do mundo e as suas grandezas e disse: “Eu lhe darei tudo isso se você se ajoelhar e me adorar.”

Jesus respondeu: “Vá embora, Satanás! As Escrituras afirmam: ‘Adore o Senhor, seu Deus, e sirva somente a ele.’”

Então o Diabo foi embora, e vieram anjos e cuidaram de Jesus.

Devocional

Imagine passar o dia todo sem comer nada. Aí sua mãe coloca um prato de biscoitos na sua frente, mas diz que você não pode comer nenhum. Você ficaria tentada a comer mesmo assim? Eu também!

Jesus enfrentou tentações ainda maiores do que as nossas. Uma vez, ele foi para o deserto. Durante quarenta dias, ele não comeu nada. Satanás viu que ele estava fraco e com fome e se aproximou. Ele esperava poder convencer Jesus a pecar. Ele tentou por três vezes fazer com que Jesus o seguisse, em vez de seguir o Pai. Toda vez que Satanás tentava, Jesus dizia a verdade de Deus para Satanás, citando um versículo da Bíblia. Por fim, Satanás desistiu. Jesus foi embora do deserto tão puro e perfeito quanto sempre foi.

Quando você for tentada a pecar, não ceda para Satanás. Em vez disso, ore a Jesus.

Ele a entende e a ajudará a fazer a escolha certa.

Oração

Querido Espírito Santo, por favor, faça com que me lembre da Palavra de Deus para que eu possa lutar contra Satanás quando ele tentar me enganar também.

A história do semeador

MATEUS 13:1-9

Jesus saiu de casa e sentou-se à beira do lago. A multidão que se juntou em volta dele era tão grande que ele entrou num barco e se sentou; e o povo ficou em pé na praia. Jesus usou histórias, ou parábolas, para ensinar muitas coisas.

Ele disse: "Um camponês saiu para semear. Quando estava espalhando as sementes, algumas caíram na beira do caminho, e os passarinhos vieram e comeram todas elas. Outra parte das sementes caiu num lugar onde havia muitas pedras e pouca terra. As sementes brotaram logo, porque a terra não era funda. Mas, quando o sol apareceu, queimou as plantas, e elas secaram, porque não tinham raízes profundas. Outras sementes caíram no meio de espinhos, que cresceram e sufocaram as plantas. Outras sementes caíram em terra boa, onde cresceram e se tornaram grãos. Algumas plantas produziram cem vezes mais grãos. Outras produziram sessenta vezes mais e outras ainda produziram trinta vezes mais grãos. Se vocês têm ouvidos para ouvir, então ouçam."

Devocional

Se você quisesse plantar um jardim, iria colocá-lo na entrada da garagem? Não! Você procuraria um lugar bonito, ensolarado e com terra fofa para plantar as sementes.

Jesus diz que a Palavra dele é como uma semente. Ela precisa de um lugar fofo para crescer também. Mas o coração das pessoas nem sempre é macio ou receptivo ao ensino. Algumas pessoas ouvem a verdade de Deus, mas Satanás as impede de entendê-la. Outras pessoas ouvem e entendem, mas não obedecem ao que sabem. Há ainda as que ouvem falar de Jesus e creem nele no início, mas, então, deixam que aquilo que querem se torne mais importante do que fazer a coisa certa.

Deus quer que tenhamos um coração como um jardim agradável. Assimilamos a Palavra de Deus, ouvimos a voz dele e obedecemos. Aprendemos cada vez mais sobre Deus e lhe dizemos que nos arrependemos de nossos pecados para manter nossa vida livre das "ervas daninhas do pecado". Então floresceremos com o amor de Deus por ele e pelos outros.

ORAÇÃO:

Querido Jesus, por favor, me dê um **CORAÇÃO** receptivo ao ensino e me ajude a ver as ervas daninhas que precisam ser arrancadas de minha vida. Quero **CRESCER** forte no Senhor.

Jesus anda sobre as águas

MATEUS 14:22-27

Jesus fez os discípulos subirem no barco e irem na frente para o lado oeste do lago, enquanto ele dizia às pessoas que elas podiam voltar para casa. Depois de se despedir delas, Jesus subiu um monte a fim de orar a sós. Quando chegou a noite, ele estava ali, sozinho. Naquele momento o barco já estava no meio do lago e passava por apuros. As ondas batiam com força no barco porque o vento soprava contra ele.

Já de madrugada, entre as três e as seis horas, os discípulos continuavam no barco. Jesus foi até eles, andando em cima da água. Quando os discípulos viram Jesus andando em cima da água, ficaram apavorados e exclamaram: "É um fantasma!" E gritaram de medo.

Nesse instante Jesus disse: "Coragem! Sou eu! Não tenham medo!"

Devocional

Uma vez, Jesus quis tempo para ficar sozinho e orar. Então ele mandou seus discípulos para longe em um barco. Eles acharam que atravessariam o lago sem problemas, mas Jesus queria que eles aprendessem uma lição. O vento ficou forte, as ondas batiam no barco e eles ficaram apavorados. Eles estavam no meio do lago quando, de repente, viram Jesus andando em sua direção sobre as águas! Pedro queria tanto estar com Jesus que saiu do barco para ir até ele. A princípio, Pedro andou sobre as águas como Jesus. Mas, quando parou de olhar para Jesus e passou a

Querido Jesus, me ajude a não ficar **PREOCUPADA** quando coisas ruins acontecerem. Que eu lembre de **CONFIAR** nos cuidados do Senhor.

Oração

se preocupar com as ondas, ele começou a afundar. Jesus teve de salvá-lo.

Às vezes, nós nos preocupamos com um monte de coisas, assim como Pedro. Jesus quer que fiquemos com os olhos nele. Quando você estiver com medo, reserve uns minutinhos para orar. Você manterá os olhos no problema ou em Jesus?

Jesus abençoa as crianças

MARCOS 10:13-16

Algumas pessoas levaram seus filhos pequenos a Jesus para que ele as tocasse. Os discípulos, porém, pediram que elas parassem com aquilo. Quando viu isso, Jesus não gostou e disse: "Deixem que as crianças venham a mim. Não as impeçam. O Reino de Deus pertence às pessoas que são como estas crianças. Eu lhes digo a verdade: Vocês têm

de aceitar o Reino de Deus como as criancinhas aceitam as coisas. Caso contrário, vocês não entrarão nele."

Então Jesus tomou as crianças nos braços, pôs a mão sobre elas e as abençoou.

aceite

Devocional

Multidões seguiam Jesus em todos os lugares aonde ele ia. O tempo todo as pessoas queriam tocá-lo, vê-lo e conversar com ele. Mas, quando alguns pais começaram a levar seus filhos até Jesus, os discípulos dele ficaram bravos. Jesus não tinha tempo para criancinhas, pensavam eles. Ele precisava passar todo o seu tempo com os marmanjos!

Meu Deus, como eles estavam enganados! Jesus disse aos discípulos que queria que as crianças fossem até ele.

Ele as amou, pôs as mãos sobre elas e as abençoou. Então ele disse à multidão que todos precisavam se aproximar dele assim como uma criança. Ele queria que eles cressem nele e tivessem a fé amorosa e simples como a de uma criança.

Não é demais saber que Jesus nos ama e abençoa, exatamente como ele fez com as crianças naquela época? Diga para Jesus que você quer estar o mais perto possível dele.

promessa

Deus diz que o Reino dele pertence a seus filhos!

Jesus purifica o templo

MATEUS 21:12-17

Jesus entrou no pátio do Templo e expulsou todos os que compravam e vendiam naquele lugar. Derrubou as mesas dos que trocavam dinheiro e as cadeiras dos que vendiam pombas. Então ele disse a todos que estavam lá: "Nas Escrituras Sagradas está escrito: 'O meu templo será uma casa de oração.' Mas vocês transformaram a casa de Deus num esconderijo de ladrões!"

Cegos e coxos iam encontrar Jesus no pátio do templo, e ele os curava. Os chefes dos sacerdotes e os mestres da lei viram que ele estava fazendo coisas maravilhosas. Eles viram as crianças louvando Jesus no templo, dizendo: "Glória ao

Filho de Davi!" E tudo isso deixava os sacerdotes e mestres da lei com muita raiva.

E eles disseram a Jesus: "Você está ouvindo o que essas crianças estão dizendo?"

Jesus respondeu: "Claro que sim! Será que vocês nunca leram a passagem das Escrituras Sagradas que diz: "O Senhor, ó Deus, ensinou as crianças e os bebês a cantar louvores"?

Então Jesus os deixou, saiu da cidade e foi para Betânia. E passou a noite ali.

Devocional

Quando você imagina Jesus, o que você vê? Ele é meigo, bom e sorridente?

Jesus era muito bom e prestativo. Ele também amava seu Pai celestial mais do que qualquer coisa. Quando ele viu como os líderes religiosos e o povo tinham arruinado o templo de seu Pai, seu sorriso desapareceu. Ele ficou muito zangado. Pegou um chicote e fez todos os vendedores que enganavam o povo saírem do Templo.

Você já ficou zangada? Normalmente ficamos zangados quando as coisas

não saem de nosso jeito. Mas Jesus não é como nós. Quando Jesus ficava zangado, era sempre pelo motivo certo. Ele estava protegendo a casa de Deus e o povo que ia até lá para adorá-lo.

LOUVOR:

Jesus, eu louvo o seu nome porque o Senhor demonstrou o **AMOR** perfeito por seu Pai. Me ajude a fazer o mesmo!

Jesus escolhe seus apóstolos

MARCOS 3:13-19

Jesus subiu a um monte, chamou alguns homens para irem com ele. Aqueles eram os homens que Jesus queria, e eles o acompanharam. Ele escolheu 12 homens e os chamou de apóstolos. Jesus queria os 12 para que ficassem com ele e para enviá-los a outros lugares para pregar. Ele também queria que esses homens tivessem poder para expulsar demônios.

Estes foram os 12 homens que ele escolheu: Simão (a quem Jesus deu o nome de Pedro); Tiago e João, filhos de Zebedeu (a estes ele deu o nome de Boanerges, que quer dizer "filhos do trovão");

André; Filipe; Bartolomeu; Mateus; Tomé; Tiago, filho de Alfeu; Tadeu; Simão, o zelote; e Judas Iscariotes. Foi Judas que entregou Jesus aos seus inimigos.

Devocional

Você já participou de uma brincadeira na qual teve de escolher uma equipe? O que você procurava? Talvez você tenha escolhido as meninas em quem você sabia que podia confiar ou com quem contar. Jesus fez a mesma coisa um dia. Ele foi para o monte em uma missão muito especial de escolher 12 homens para serem seus melhores amigos e discípulos. Jesus lhes disse que eles seriam seus apóstolos que trabalhariam para Deus e pregariam as boas-novas a todos. Ele edificaria seu reino celestial por meio do trabalho deles na terra.

Jesus chama você para segui-lo também. Você virá até ele, assim como fizeram os apóstolos? Jesus tem um trabalho para você fazer. Ele quer que você compartilhe as boas-novas dele com as pessoas à sua volta. Reserve uns minutinhos para pensar em amigos e parentes seus que não conhecem Jesus. Ore por eles agora e peça a Deus uma oportunidade para lhes contar a boa notícia.

Louvor

Agradeço, Jesus, porque o Senhor me escolheu para ser sua! Quero compartilhar seu amor com todas as pessoas que conheço.

Jesus acalma a tempestade

MARCOS 4:35-41

aquele fim de tarde Jesus disse aos discípulos: "Vamos para o outro lado do lago."

Então eles deixaram o povo ali, subiram no barco em que Jesus estava e foram com ele. Havia outros barcos também. De repente, começou a soprar um vento muito forte sobre o lago. De todos os lados vinham ondas, e o barco já estava quase cheio de água. Jesus estava na parte de trás do barco, dormindo com a cabeça no travesseiro. Então os discípulos o acordaram e disseram: "Mestre! Nós vamos afundar! O senhor não se importa conosco?"

Jesus se levantou e ordenou ao vento e às ondas que parassem, dizendo: Quietos! Sosseguem! Assim, o vento parou, e o lago ficou calmo.

Jesus perguntou aos discípulos: “Por que estão com tanto medo? Vocês ainda não têm fé?”

E os discípulos, apavorados, diziam uns aos outros: “Que tipo de homem é este? Até o vento e as ondas lhe obedecem!”

obedeça

Devocional

Os discípulos de Jesus estavam em um barco no mar da Galileia. De repente, uma grande tempestade desabou e sacudiu o barco. As ondas explodiam nas extremidades do barco, e os discípulos ficaram com muito medo. Onde estava Jesus? Tirando uma soneca! Eles acordaram Jesus e lhe perguntaram: "Como o senhor ainda consegue dormir quando todos nós estamos prestes a morrer? O senhor não se importa conosco?"

Você acha que Jesus se importava com os discípulos dele? Claro que sim! Ele estava lhes ensinando outra lição. Ele falou com o vento e com as ondas e or-

Jesus, louvo o Senhor porque toda a **CRIAÇÃO** lhe obedece. O Senhor é Deus sobre toda a terra!

denou que ficassem quietos. Sua criação lhe obedeceu, e seus discípulos ficaram espantados. Jesus queria que soubessem que eles nunca precisariam ter medo. E nós também não precisamos. Temos o Deus da criação como nosso Salvador e amigo. Só precisamos manter os olhos nele e saber que ele está no controle de todas as coisas.

O cego Vê

MARCOS 10:46-52

Então eles chegaram à cidade de Jericó. Quando Jesus estava saindo da cidade, acompanhado dos discípulos e de uma grande multidão, um cego chamado Bartimeu, filho de Timeu, estava sentado à beira do caminho. Quando ouviu alguém dizer que era Jesus de Nazaré que estava passando, o cego começou a gritar: “Jesus, Filho de Davi, por favor, me ajude!”

Muitas pessoas o repreenderam e mandaram que ele calasse a boca. O cego, porém, gritava ainda mais: “Filho de Davi, por favor, me ajude!”

Então Jesus parou e disse: “Diga ao homem para vir até aqui.”

Eles chamaram o cego e lhe disseram: “Ânimo! Levante-se! Jesus está chamando você!”

Então Bartimeu jogou a sua capa para um lado, levantou-se depressa e foi até o lugar onde Jesus estava.

“O que é que você quer que eu faça?”, perguntou Jesus.

“Mestre, eu quero ver de novo!”, respondeu ele.

Jesus então disse: “Vá. Você está curado porque teve fé.”

No mesmo instante, Bartimeu começou a ver de novo e foi seguindo Jesus pelo caminho.

creia

Devocional

Você já viu uma pessoa cega? Talvez você já tenha visto um cego sendo conduzido por um cão-guia como ajudante. Bartimeu não tinha um cão para ajudá--lo. Todo dia ele pedia dinheiro na beira da estrada. Naquela época, essa era a única maneira de um cego conseguir dinheiro para viver.

Um dia, Jesus passou por um local bem movimentado. Bartimeu não podia ver Jesus, mas já tinha ouvido tudo sobre ele. Ele não queria deixar aquele momento escapar. Então, gritou com toda a força de seus pulmões para que Jesus o ajudasse. As pessoas ao redor falaram para ele ficar quieto, mas ele gritou mais alto. Jesus chamou o cego. Quando Bartimeu parou diante de Jesus, o Mestre lhe perguntou o que ele queria. O cego simplesmente disse que queria ver. Então Jesus o curou.

Assim como Bartimeu, você tem alguma necessidade? Não fique quieta. Fale com Deus em voz alta, como se fosse Bartimeu na beira da estrada. Clame a Deus, e ele responderá.

ORAÇÃO:

Querido Deus, obrigada
por me notar.
O Senhor me ouve quando eu chamo
e sempre me **AJUDA**.

A viúva dá tudo o que tem

MARCOS 12:41-44

Jesus estava sentado perto da caixa das ofertas do templo, observando as pessoas colocarem ali o seu dinheiro. Vários ricos davam muito dinheiro. Então chegou uma viúva pobre e pôs na caixa duas moedinhas de cobre. Essas moedas não valiam quase nada.

Então Jesus chamou os discípulos e declarou: "Eu lhes digo a verdade: esta viúva pobre deu apenas duas moedinhas, mas, na realidade, ela deu mais do que todos. Porque os ricos possuem muito dinheiro e deram do que estava sobrando. Essa mulher é muito pobre, mas deu tudo o que tinha para viver.

Devocional

Jesus estava observando as pessoas enquanto elas chegavam ao templo. Ele notou como os ricos jogavam grandes quantias de dinheiro na caixa de ofertas. Então veio uma viúva pobre e colocou duas moedas ali. Jesus chamou os apóstolos para que percebessem os tipos diferentes de ofertas. O que valia mais: as ofertas dos ricos ou as duas moedas da viúva?

Os ricos achavam que suas ofertas eram melhores porque eram de maior valor. Jesus, porém, disse que não eram. Os ricos tinham muito mais dinheiro para dar, mas não davam. A viúva, porém, deu tudo o que tinha. Deus se agrada quando confiamos nele o suficiente para ofertar de todo o nosso coração. Ele não se importa com a quantidade.

Você acha que não tem nada para dar a Deus? Você tem! Mesmo que não tenha nenhum dinheiro, você pode dar a Deus tempo para orar, servir e aprender a Palavra dele.

oração

Querido Jesus, me ajude a ter um coração disposto a ofertar. Mostre-me como posso dar ao Senhor o melhor de mim, assim como fez a viúva.

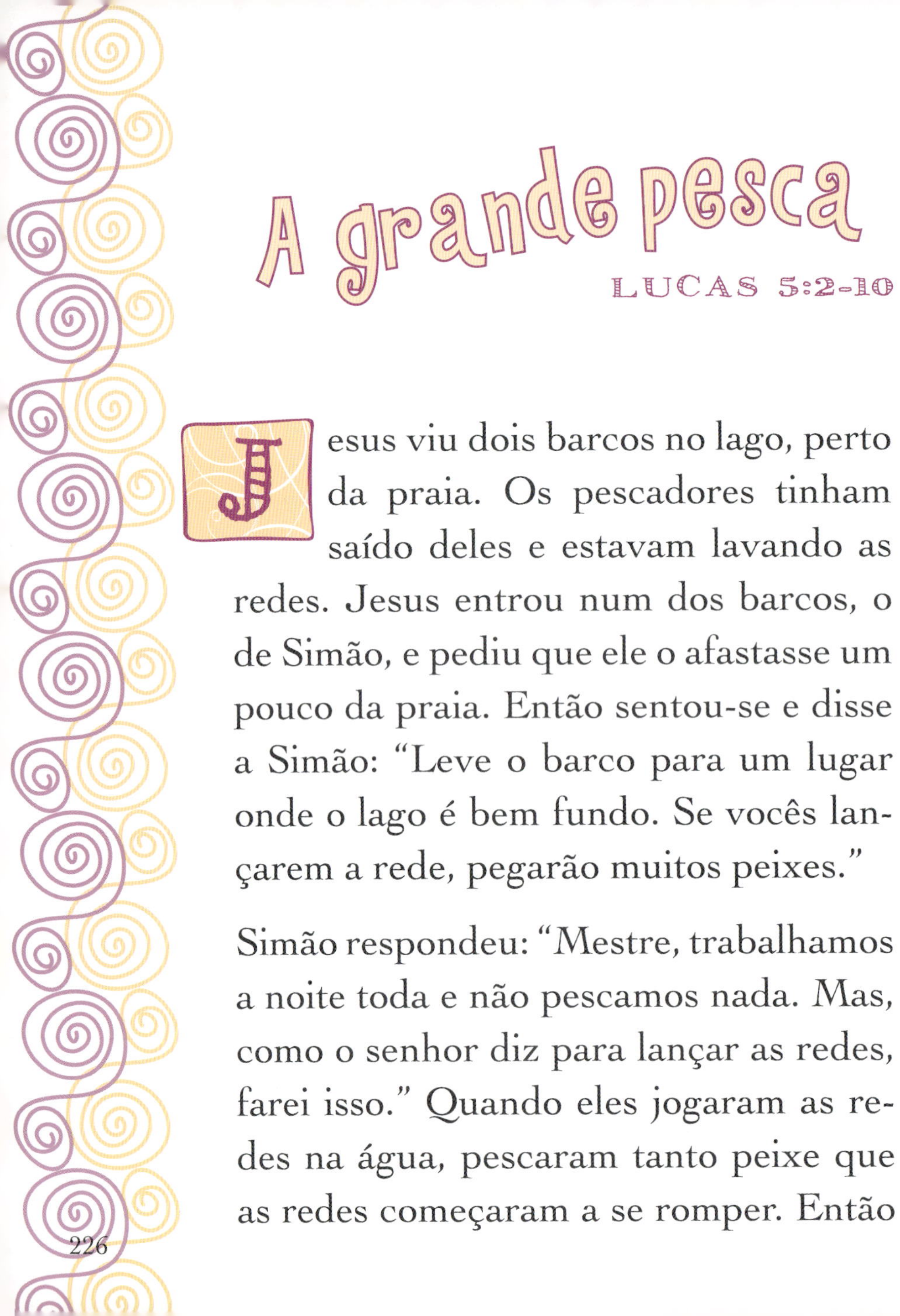

A grande pesca

LUCAS 5:2-10

Jesus viu dois barcos no lago, perto da praia. Os pescadores tinham saído deles e estavam lavando as redes. Jesus entrou num dos barcos, o de Simão, e pediu que ele o afastasse um pouco da praia. Então sentou-se e disse a Simão: "Leve o barco para um lugar onde o lago é bem fundo. Se vocês lançarem a rede, pegarão muitos peixes."

Simão respondeu: "Mestre, trabalhamos a noite toda e não pescamos nada. Mas, como o senhor diz para lançar as redes, farei isso." Quando eles jogaram as redes na água, pescaram tanto peixe que as redes começaram a se romper. Então fizeram um sinal para os companheiros que estavam no outro barco a fim de que viessem ajudá-los. Eles foram e os dois barcos ficaram tão cheios que estavam quase afundando. Quando Simão Pedro viu o que havia acontecido, ajoelhou-se diante de Jesus e disse: "Senhor, afaste-se de mim, pois eu sou um pecador!"

Os pescadores ficaram admirados com a quantidade de peixes que haviam apanhado. Então Jesus disse a Simão: "Não tenha medo! De agora em diante você vai pescar gente."

peixe

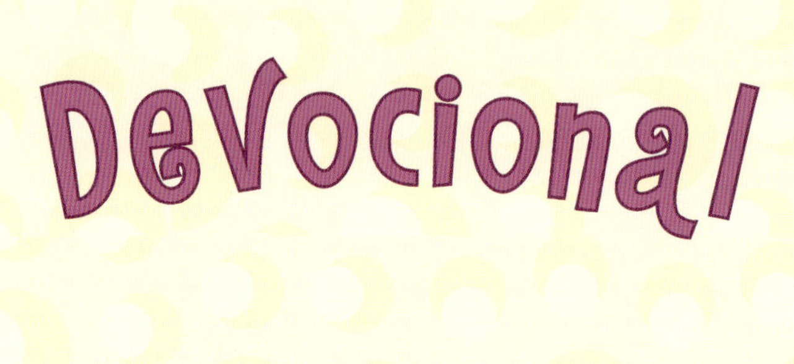

Jesus estava em um barco com Pedro, Tiago e João. Os homens tinham pescado durante toda a noite, mas não pegaram nenhum peixe.

Então Jesus pediu aos homens que lançassem as redes novamente. Embora estivessem muito cansados, eles, mesmo assim, fizeram o que Jesus disse. Dessa vez, as redes ficaram tão cheias de peixes que eles tiveram de pedir ajuda para conseguir puxá-las até a praia! Pedro disse que era pecador demais para estar perto de alguém tão bom quanto Jesus. Mas Jesus o convidou para ser um dos apóstolos, um de seus

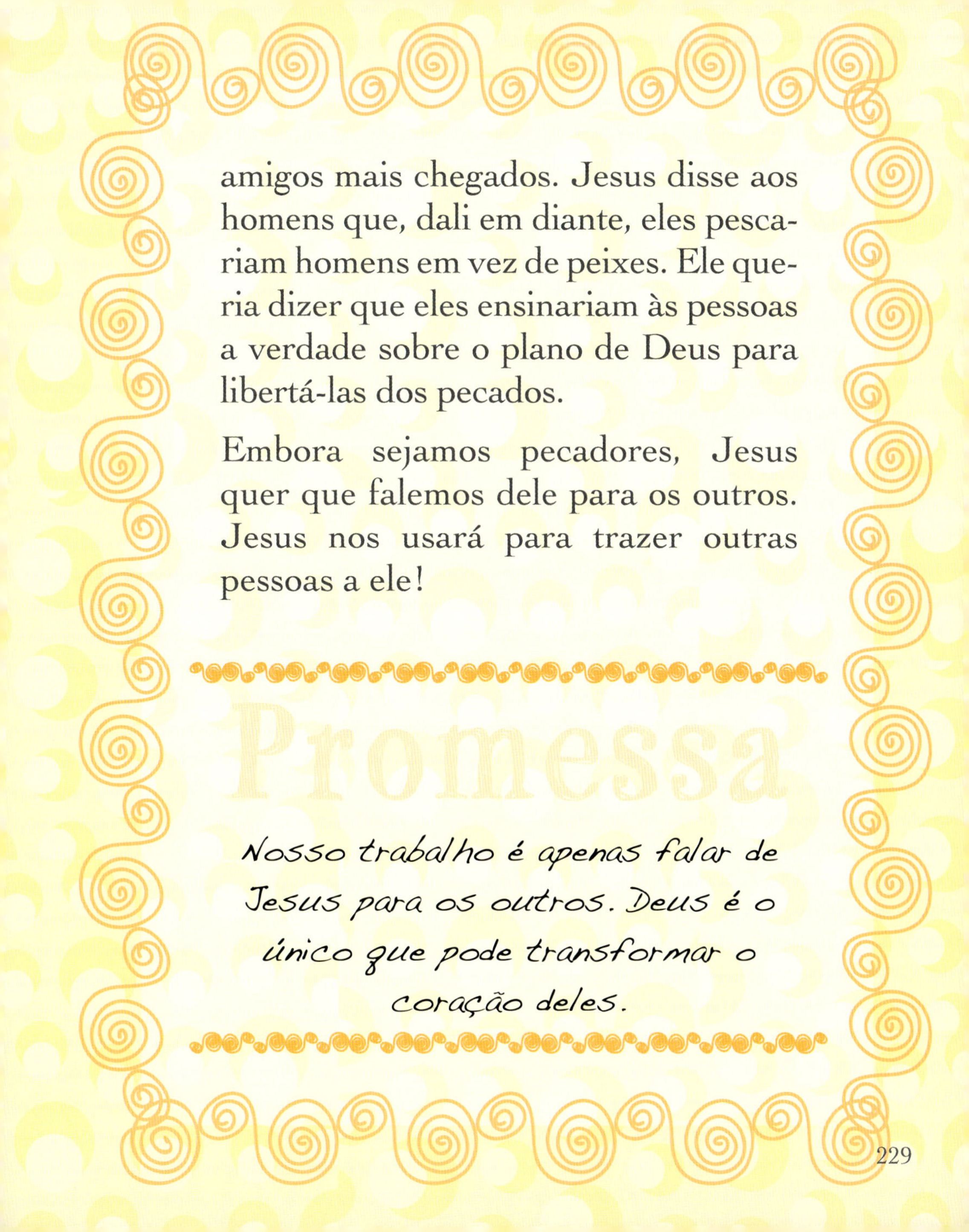

amigos mais chegados. Jesus disse aos homens que, dali em diante, eles pescariam homens em vez de peixes. Ele queria dizer que eles ensinariam às pessoas a verdade sobre o plano de Deus para libertá-las dos pecados.

Embora sejamos pecadores, Jesus quer que falemos dele para os outros. Jesus nos usará para trazer outras pessoas a ele!

Promessa

Nosso trabalho é apenas falar de Jesus para os outros. Deus é o único que pode transformar o coração deles.

Jesus cura uma mulher e uma menina

LUCAS 8:41-45, 47-48, 51-52, 54-56

Um homem chamado Jairo se aproximou de Jesus. Ele era chefe da sinagoga daquele lugar. Ele se jogou aos pés de Jesus e pediu com insistência que o Mestre fosse até a sua casa porque a sua filha única, de 12 anos, estava morrendo.

Enquanto Jesus ia caminhando em direção à casa de Jairo, a multidão o apertava de todos os lados. Nisto, chegou uma mulher que fazia 12 anos que estava com uma hemorragia. Ela havia gastado com os médicos tudo o que tinha, mas ninguém havia conseguido curá-la. Ela foi por trás de Jesus e tocou na barra da capa dele, e logo o sangue parou de escorrer. Jesus então perguntou: "Quem foi que me tocou?"

Então a mulher, vendo que não podia mais ficar escondida, veio, tremendo, e se atirou aos pés de Jesus. E, diante de todos, contou a Jesus por que tinha tocado nele e como havia sido curada na mesma hora. Jesus disse a ela: "Minha filha, você sarou porque teve fé! Vá em paz."

Quando Jesus chegou à casa de Jairo, todos estavam tristes e choravam porque a menina estava morta.

Mas Jesus pegou-a pela mão e disse bem alto: "Menina, levante-se!" O espírito dela retornou e ela se levantou imediatamente. Em seguida, Jesus mandou: "Deem a ela alguma coisa para comer." Os pais da menina ficaram muito admirados.

Devocional

Você já viu como algumas pessoas vão atrás de famosos na tentativa de conseguir autógrafos? Bem, Jesus tinha uma multidão de pessoas que o seguia a todos os lugares aonde ele ia. Elas ficavam tão perto que quase o esmagavam! Então como Jesus soube que alguém muito especial o tinha tocado? Jesus é Deus! Ele sabia exatamente o que tinha acontecido com a mulher enferma. Ele só queria que ela parasse de se esconder e soubesse que Deus tinha visto a necessidade dela e quis curá-la.

Depois Jesus realizou outro milagre maravilhoso. A filha de Jairo havia morrido. Todo mundo estava chorando. Mas

Jesus pegou a menina pela mão e a fez reviver. Nada era difícil demais para ele!

Você já teve a sensação de que Deus é importante demais para reparar em você? Tantas pessoas vivem neste mundo. Como ele pode ficar de olho em todas elas? Deus diz que sabe quantos fios de cabelo há em sua cabeça. Ele a vê e a ama mais do que você possa um dia imaginar.

PROMESSA:

Deus diz que
ama tanto você
que escreveu seu **NOME**
na palma da mão dele!

A ovelha e a moeda perdidas

LUCAS 15:1-10

Muitos cobradores de impostos e pecadores chegaram perto de Jesus para ouvi-lo. Os fariseus e os mestres da lei criticavam Jesus, dizendo: "Vejam! Este homem se mistura com pecadores e faz refeições com eles."

Então Jesus contou esta parábola: "Se algum de vocês tiver cem ovelhas e perder uma, por acaso não vai procurá-la? Assim, deixa as outras 99 sozinhas e vai procurar a ovelha perdida até achá-la. Quando a encontra, fica muito contente e volta com ela nos ombros. Chegando à sua casa, chama os amigos e vizinhos e diz: 'Alegrem-se comigo porque achei a minha ovelha perdida.' Da mesma maneira, eu lhes digo que há muita alegria no céu quando um pecador se arrepende. Há mais alegria por um pecador arrependido do que por 99 pessoas boas que não precisam se arrepender."

Jesus continuou: "Imagine que uma mulher tem dez moedas de prata e perde uma delas. Ela vai acender uma lamparina, varrer a casa e procurar com muito cuidado até achá-la. E, quando a encontra, convida as amigas e vizinhas e diz: 'Alegrem-se comigo porque achei a minha moeda perdida.' Do mesmo modo, há alegria diante dos anjos de Deus quando um pecador que se arrepende."

encontrada

Devocional

O que você faria se perdesse seu brinquedo favorito? Você não reviraria tudo até encontrá-lo?

Deus sente a mesma coisa em relação a nós. Jesus contou uma história sobre um pastor que tinha cem ovelhas. Um dia, o pastor viu que faltava uma delas! Ele a procurou até encontrar. Quando a encontrou, ele contou para todos quanto estava feliz.

Então Jesus contou uma história semelhante sobre uma mulher que perdeu uma moeda de prata. Ela a procurou por toda a casa. Quando a encontrou, deu uma festa!

Quando fazemos algo errado, somos como a ovelha que se desgarrou ou a moeda perdida. Não é incrível o fato de Deus vir nos procurar, como o pastor e a mulher nas histórias? Quando nos afastamos do pecado, nossa amizade com Deus é restabelecida. Deus se alegra quando nós nos arrependemos de verdade!

Deus promete ser fiel a nós, mesmo quando nos desviamos do caminho certo. Ele se importa tanto com cada uma de suas princesas que vai nos procurar quando estamos perdidas.

O filho que saiu de casa

LUCAS 15:11-17, 20-22, 24

Jesus disse: "Um homem tinha dois filhos. Certo dia o mais novo disse ao pai: 'Pai, quero a minha parte dos bens.' O pai, então, repartiu o patrimônio entre os dois filhos. Assim, o filho mais moço ajuntou tudo o que era seu e partiu para um país muito distante. Ali ele desperdiçou tudo o que tinha vivendo de forma insensata. O rapaz estava faminto e necessitado de dinheiro. Então arranjou um emprego com um dos moradores daquela terra. Este o mandou para a sua fazenda a fim de tratar dos porcos. Ele sentia tanta fome que tinha vontade de comer a comida dos porcos, mas ninguém lhe dava nada.

O filho percebeu que tinha sido muito tolo. Então saiu dali e voltou para a casa do pai.

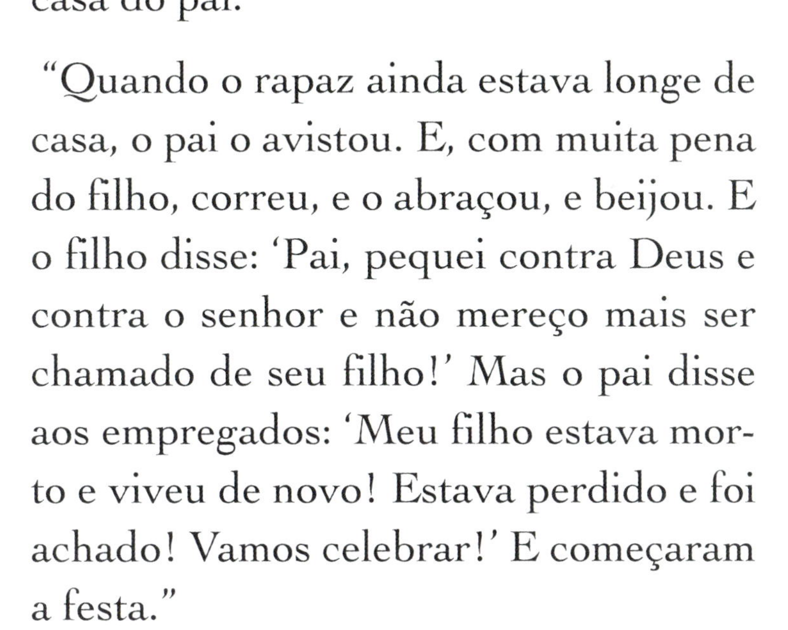

"Quando o rapaz ainda estava longe de casa, o pai o avistou. E, com muita pena do filho, correu, e o abraçou, e beijou. E o filho disse: 'Pai, pequei contra Deus e contra o senhor e não mereço mais ser chamado de seu filho!' Mas o pai disse aos empregados: 'Meu filho estava morto e viveu de novo! Estava perdido e foi achado! Vamos celebrar!' E começaram a festa."

Devocional

Você já achou difícil entender quanto Deus a ama? Jesus sabia que as pessoas que o cercavam teriam dificuldade para entender o amor de Deus. Então ele explicou o coração de Deus usando a parábola de um filho rebelde.

Na história, havia um pai bom e amoroso com seus dois filhos. Um dos filhos ficou em casa, mas o outro exigiu dinheiro e foi embora para gastá-lo de forma imprudente. Depois de gastar todo o dinheiro, ele percebeu que tinha cometido um erro. Decidiu ir para casa e ver se o pai iria deixá-lo voltar como

O Senhor é Deus que perdoa! Obrigada, Pai, porque o Senhor sempre me **ACEITA** de volta nos seus braços.

servo, em vez de filho. Mas o pai surpreendeu a todos. Esse homem correu para receber o filho na estrada, pois estava esperando por ele. Em seguida, deu uma festa para o rapaz! Ele estava muito feliz em ter o filho em casa de novo.

Toda vez que nos colocamos contra Deus, precisamos lembrar dessa história de Jesus. Deus nos recebe de volta de braços abertos se simplesmente voltarmos correndo para ele e lhe dissermos quanto estamos arrependidas.

Jesus cura os leprosos

LUCAS 17:11-19

Jesus continuava viajando para Jerusalém e passou entre as regiões da Samaria e da Galileia. Quando estava entrando em um povoado, dez homens foram se encontrar com ele. Eles não se aproximaram de Jesus porque tinham lepra, uma doença de pele muito perigosa. e então eles gritaram: "Jesus! Mestre! tenha pena de nós!"

Jesus os viu e disse: "Vão e peçam aos sacerdotes que examinem vocês."

Quando iam pelo caminho, os dez foram curados. E, quando um deles, que era samaritano, viu que estava curado, voltou até Jesus. Ele louvava a Deus em voz alta. Então, ajoelhou-se aos pés de Jesus e lhe agradeceu. Jesus disse: "Dez homens foram curados, onde estão os outros nove? Esse samaritano foi o único que voltou para louvar a Deus?"

E Jesus disse a ele: "Levante-se e vá. Você está curado porque teve fé."

obrigado

Devocional

Você já teve de deixar de ir à escola ou à igreja para ficar em casa porque estava com febre e sua mãe não queria que outras pessoas ficassem doentes? Esta história de Jesus é sobre pessoas assim. Os homens ficavam afastados porque não podiam se aproximar de pessoas saudáveis. Eles tinham uma doença de pele que outras pessoas não queriam pegar. Era horrível para eles. Então, quando viram Jesus passar por ali, eles clamaram por ajuda. Jesus os ouviu e pediu que procurassem o sacerdote ou pastor. Ao obedecerem, a pele deles voltou ao normal. Eles foram curados.

Embora dez homens tenham sido curados, apenas um voltou para agradecer a Jesus pelo milagre. Jesus ficou desapontado com o fato de os outros homens terem se esquecido de agradecer a Deus.

Todas as coisas boas em nossa vida vêm do Senhor. Precisamos nos lembrar da bondade dele e de agradecer a Deus por todas as maneiras pelas quais ele nos mostra seu amor.

ORAÇÃO:

Senhor, por favor, perdoe-me quando eu tiver um coração mal-agradecido. Quero que saiba que sou **GRATA** pelo Senhor e por sua bondade para comigo!

Jesus e Zaqueu

LUCAS 19:1-10

Jesus entrou em Jericó e estava atravessando a cidade. Morava ali um homem rico, chamado Zaqueu, que era chefe dos cobradores de impostos. Ele estava tentando ver quem era Jesus, mas não podia, porque era muito baixo para ver por cima da multidão. Então correu na frente até um lugar por onde ele sabia que Jesus ia passar e subiu numa figueira para ver Jesus, que devia passar por ali. Quando Jesus chegou àquele lugar, olhou e viu Zaqueu sobre a árvore e disse: "Zaqueu, desça rápido, pois hoje preciso ficar na sua casa."

Zaqueu desceu depressa e o recebeu em sua casa, com muita alegria. Todos os que viram isso começaram a resmungar: "Olha o tipo de gente com quem Jesus se reúne. Zaqueu é pecador!"

Zaqueu se levantou e disse ao Senhor: "Vou dar a metade dos meus bens aos pobres. E, se roubei alguém, vou devolver quatro vezes mais."

Então Jesus disse: "Hoje a salvação entrou nesta casa, pois este homem também é descendente de Abraão. Porque o Filho do Homem veio buscar e salvar quem está perdido."

Devocional

O que significa estar arrependida de verdade? Veja a história de Zaqueu.

Zaqueu era um rico cobrador de impostos. Mas ele ganhou uma boa parte de seu dinheiro enganando as pessoas e fazendo com que elas pagassem mais impostos do que o devido.

Um dia, Jesus entrou na cidade de Zaqueu. O homem era tão baixinho que teve de subir em uma árvore para ver por cima da multidão. Então Jesus viu Zaqueu em cima da árvore. Jesus pediu que ele descesse porque estava indo para a casa dele. Zaqueu recebeu Jesus em sua casa muito bem. Então ele disse a Jesus que estava muito arrependido pelas coisas más que tinha feito. Ele disse a Jesus que daria a metade de todo o seu dinheiro e que, se ele tinha enganado alguém para ganhar dinheiro, ele devolveria para aquela pessoa quatro vezes mais do que tinha roubado. Zaqueu demonstrou por meio de suas ações que estava arrependido de verdade por seu pecado. E Jesus o perdoou!

oração

Senhor, por favor, me ajude a me arrepender de verdade de meus pecados. Quero agradar o Senhor em tudo o que eu fizer.

Jesus e Nicodemos

JOÃO 3:1-8

Havia um fariseu chamado Nicodemos, que era um dos líderes dos judeus. Uma noite ele foi visitar Jesus e disse: "Mestre, sabemos que o que o Senhor ensina vem de Deus, pois ninguém pode fazer esses milagres se Deus não estiver com ele."

Jesus respondeu: "Digo-lhe a verdade: ninguém pode ver o Reino de Deus se não nascer de novo."

Nicodemos perguntou: "Como é que um homem velho pode nascer de novo? Ele não pode voltar para a barriga da sua mãe. Como poderá nascer uma segunda vez?

Jesus disse: "Digo-lhe a verdade: ninguém pode entrar no Reino de Deus se não nascer da água e do Espírito. O corpo de uma pessoa nasce de seus pais; mas a vida espiritual nasce do Espírito. Por isso, não fique admirado porque eu disse que todos vocês precisam nascer de novo. O vento sopra onde quer, e ouve-se o barulho que ele faz, mas não se sabe de onde ele vem nem para onde vai. A mesma coisa acontece com todos os que nascem do Espírito.

Devocional

Nicodemos era um fariseu. Significa que ele era membro do maior grupo religioso e político daquela época. A maioria dos fariseus não gostava de Jesus, mas Nicodemos acreditava que ele tinha sido enviado por Deus. Ele foi visitar Jesus à noite, quando não havia ninguém por perto, para que pudesse lhe fazer algumas perguntas. Ele disse ao Senhor que sabia que Jesus devia ser de Deus por causa dos milagres que fazia.

Jesus respondeu para Nicodemos de uma maneira estranha. Ele lhe disse que o homem precisava nascer de novo para ser salvo! Nicodemos não entendeu. É claro que ele não podia entrar de novo na barriga de sua mãe! Então Jesus explicou: nascemos de novo quando percebemos quanto necessitamos de Jesus. Deixamos de tentar encobrir nossos pecados e, em vez disso, pedimos o perdão dele. Só Jesus pode nos dar uma vida nova aqui na terra e para sempre no céu.

PROMESSA:

Jesus disse que todos
nascem uma vez como bebês.
Os que **CONFIAM** em Jesus
como Salvador
têm um segundo aniversário.
Você tem um ou **DOIS?**

Jesus alimenta cinco mil pessoas

JOÃO 6:3-5, 7-13

Jesus subiu em um monte e se sentou ali com os seus discípulos. A Páscoa, a festa principal dos judeus, estava perto. Jesus olhou em volta de si e viu que uma grande multidão vinha na direção dele. Então disse a Filipe: "Onde vamos comprar comida para toda esta gente?"

Filipe respondeu assim: "Alguém precisaria trabalhar durante quase um ano para comprar pão suficiente para que cada pessoa aqui recebesse só um pedacinho."

André disse: "Está aqui um menino que tem cinco pães de cevada e dois peixinhos. Mas o que é isso para tanta gente?"

Jesus então mandou: "Digam a todos que se sentem no chão."

Havia muita grama naquele lugar. Estavam ali quase cinco mil homens. Em seguida Jesus pegou os pães, deu graças a Deus e os repartiu com todos; e fez o mesmo com os peixes. E todos comeram à vontade.

Quando já estavam satisfeitos, ele disse aos discípulos: "Recolham os pedaços que sobraram a fim de que não se perca nada."

Eles ajuntaram os pedaços e encheram 12 cestos com o que sobrou dos cinco pães.

Devocional

Você consegue imaginar cinco mil pessoas chegando à sua casa para o jantar? Eu acho que sua mãe desmaiaria! Os apóstolos examinaram a multidão na frente deles. Mais de cinco mil rostos famintos olhavam para eles também. Como eles conseguiriam obedecer a Jesus dessa vez? Ele queria que os apóstolos alimentassem todas aquelas pessoas, mas eles sabiam que não tinham dinheiro ou comida suficiente para isso.

Então André disse a Jesus que havia encontrado um menino disposto a dividir o almoço dele. Eram cinco pães de cevada e dois peixes. Mas de que adiantaria um punhado de comida para tanta gente?

Jesus transformou a dádiva do menino em um grande milagre. Depois da oração, os discípulos começaram a distribuir a comida. Cada uma daquelas pessoas comeu até ficar satisfeita. Chegou até a sobrar 12 cestos de comida. O menino e os apóstolos aprenderam uma importante lição. Tudo o que precisamos fazer é trazer aquilo que temos para Jesus, e ele fará o restante. Fazemos o que podemos para servir a Jesus, e ele faz o que somente ele pode fazer.

Oração

Querido Jesus, peço que realize milagres poderosos por meu intermédio também. Ajude-me a estar disposta a dar tudo o que eu puder para ajudar seu reino a crescer.

Lázaro

JOÃO 11:1, 3-5, 17, 21-23, 38-39, 41, 43-44

Havia um homem, chamado Lázaro, que estava doente. Então [suas irmãs] Maria e Marta mandaram dizer a Jesus: "Senhor, o seu querido amigo Lázaro está doente!"

Quando Jesus recebeu a notícia, disse: "Essa doença não resultará em morte, mas em glórias a Deus. Isso está acontecendo para glorificar o Filho de Deus." Jesus amava Marta e sua irmã, e também Lázaro.

Quando Jesus chegou a Betânia, soube que Lázaro já havia morrido e estava enterrado havia quatro dias. Então Marta disse a Jesus: "Se o Senhor estivesse aqui, o meu irmão não teria morrido! Mas eu sei que, mesmo assim, Deus lhe dará tudo o que pedir a ele."

"O seu irmão vai ressuscitar!", disse Jesus.

Jesus sentiu muita tristeza. Ele foi até o túmulo, que era uma gruta com uma pedra colocada na entrada, e ordenou: "Tirem a pedra!"

Então tiraram a pedra, e Jesus gritou: "Lázaro, venha para fora!" E o morto saiu. Os seus pés e as suas mãos estavam enfaixados com tiras de pano, e o seu rosto estava enrolado com um pano. Então Jesus disse: "Desenrolem as faixas e deixem que ele vá."

Esta é uma história muito incomum. Jesus tinha acabado de receber a notícia de que seu amigo Lázaro estava muito doente. Ele não deveria ter ido correndo para a casa de Lázaro para curá-lo?

Todo mundo achava que sim. Mas Jesus não estava ouvindo o que as outras pessoas diziam que ele deveria fazer. Ele obedecia somente ao seu Pai celestial. Por isso, Jesus não apareceu por três dias, e seu amigo Lázaro morreu.

Maria e Marta eram irmãs de Lázaro, e ambas ficaram muito entristecidas porque Jesus não tinha vindo a tempo de salvar o irmão delas. Em lágrimas, elas disseram a Jesus que Lázaro já estava sepultado. Mas Jesus pediu que tirassem a pedra do túmulo. Em voz alta, ele mandou que Lázaro viesse para fora. Lázaro obedeceu, mesmo com as mortalhas ainda enroladas no corpo. Todos entenderam que Jesus tinha poder até mesmo sobre a morte. Então, eles louvaram a Deus!

Promessa

Deus deu a Jesus poder sobre a vida e a morte, e, um dia, todos os que nele confiam viverão com ele para sempre.

A entrada triunfal

LUCAS 19:28-37

Aesus se dirigia a Jerusalém. Quando iam chegando aos povoados de Betfagé e Betânia, que ficam perto do monte das Oliveiras, enviou dois discípulos na frente, com a seguinte ordem: “Vão até o povoado ali adiante. Logo que vocês entrarem lá, encontrarão preso um jumentinho que ainda não foi montado. Desamarrem o animal e o tragam aqui. Se alguém perguntar por que vocês estão fazendo isso, digam que o Mestre precisa dele.

Eles foram e acharam o jumento conforme Jesus tinha dito. Quando estavam desamarrando o animal, os donos perguntaram: “Por que é que vocês estão desamarrando o jumento?”

Eles responderam: "O Mestre precisa dele."

Então eles levaram o jumentinho para Jesus, puseram suas capas sobre o animal e ajudaram Jesus a montar. Conforme ele ia passando, o povo estendia as suas capas no caminho.

Quando Jesus chegou perto de Jerusalém, na descida do monte das Oliveiras, uma grande multidão de seguidores ia com ele. E, cheios de alegria, começaram a louvar a Deus em voz alta por todas as poderosas obras que tinham visto.

Devocional

Deixe-me fazer uma pergunta para você, princesa. Se um rei chegasse à cidade, como você acha que deveria ser o desfile? Jesus, o rei dos reis, estava se preparando para entrar em Jerusalém. Mas ele não chegaria em uma bela carruagem nem galopando em um cavalo. Não, Jesus planejou entrar na cidade montado em um jumento. Ele enviou seus apóstolos na frente

Senhor, confesso que às vezes gosto de ter toda a **ATENÇÃO** voltada para mim. Mas o Senhor sempre pensou no seu Pai e nos outros. Ajude-me a pensar mais no Senhor e **MENOS** em mim mesma.

Oração

para prepararem o caminho. Jesus lhes disse exatamente onde encontrariam o jumentinho e o que diriam ao dono do animal. Os apóstolos obedeceram e encontraram tudo conforme Jesus tinha dito.

Então por que escolher um pobre jumentinho? Jesus não era um rei comum. Mesmo sendo Deus, ele sempre se humilhou. Ele tinha vindo à terra para servir e nunca agiu como se fosse melhor que os outros. Ele pedia ao seu povo para servi-lo com o mesmo coração obediente.

A última ceia

MATEUS 26:17-24

No primeiro dia da Festa dos Pães sem Fermento, os discípulos chegaram perto de Jesus e perguntaram: "Vamos cuidar de todos os preparativos para a ceia de Páscoa. Onde o Senhor quer fazer a refeição?

Ele respondeu: "Vão até a cidade, procurem certo homem e digam: 'O Mestre manda dizer: A minha hora chegou. Os meus discípulos e eu vamos comemorar a Páscoa na sua casa.'" Os discípulos fizeram como Jesus havia mandado e prepararam o jantar da Páscoa.

À noite, Jesus e os discípulos estavam sentados à mesa, comendo. Então Jesus lhes disse: "Eu afirmo a vocês que isto é verdade: um de vocês vai me trair."

Eles ficaram muito tristes e, um por um, começaram a perguntar: "O senhor não está achando que sou eu, está?"

Jesus respondeu: "Quem vai me trair é aquele que come no mesmo prato que eu. Pois o Filho do Homem vai morrer da maneira como dizem as Escrituras Sagradas. Mas ai daquele que entrega o Filho do Homem à morte! Seria melhor para ele nunca ter nascido!

jantar

Devocional

Os apóstolos não podiam acreditar. Jesus disse que um deles iria entregá-lo aos homens que queriam sua morte. Não só isso, mas Jesus disse que todos os apóstolos fugiriam e se esconderiam quando ele fosse levado. Todos eles disseram a Jesus que ele devia estar enganado. Eles nunca sairiam do lado dele.

Quem estava errado: os apóstolos ou Jesus? Você acertou! Judas traiu Jesus, assim como Jesus tinha dito. Aí o restante dos apóstolos ficou com medo e deixou Jesus sozinho com os inimigos dele. Até Pedro disse às pessoas na multidão que nunca tinha conhecido Jesus.

Mesmo sabendo que todos os seus amigos fariam a escolha errada, Jesus ainda os amava. Deus sabe que vamos pecar também. Mas não precisamos ter medo dele. Deus ainda nos ama. Ele só quer que deixemos de fazer a coisa errada para que possamos voltar a ser amigos de Deus.

PROMESSA:

Deus promete
ser fiel a nós,
mesmo quando não somos
FIÉIS a ele.

Judas trai Jesus

MATEUS 26:47-54

Jesus estava falando, quando chegou Judas, um dos 12 discípulos. Muitas pessoas vieram com ele, armadas com espadas e paus. Elas haviam sido mandadas pelos chefes dos sacerdotes e pelos líderes judeus. Judas tinha combinado com eles um sinal. Ele disse: "Prendam o homem que eu beijar, pois é ele." Judas foi até Jesus e falou: "Olá, Mestre!"

E o beijou.

Jesus respondeu: "Amigo, faça o que você veio fazer."

Então os homens chegaram, amarraram Jesus e o prenderam. De repente, um dos seguidores de Jesus tirou a espada, atacou um empregado do sumo sacerdote e cortou uma orelha dele.

Então Jesus disse ao homem: "Guarde a sua espada, pois quem usa uma espada será morto por uma espada. Você não sabe que, se eu pedisse ajuda ao meu Pai, ele me mandaria agora mesmo 12 exércitos de anjos? Mas isso precisa acontecer desse jeito para que seja como as Escrituras afirmam."

Devocional

Você já teve uma amiga íntima que, do nada, fez uma coisa muito ruim para você? É difícil, não é? Você não é a única. Jesus teve um de seus próprios apóstolos se voltando contra ele. Judas decidiu vender Jesus aos inimigos dele por dinheiro. Isso deve ter doído muito. Embora Judas tivesse decidido se juntar aos inimigos, Jesus não deixou de ser quem era.

Os soldados vieram atrás de Jesus à noite. No início, os apóstolos de Jesus tentaram se defender. Pedro até cortou a orelha de um dos homens. Mas Jesus imediatamente a colocou de volta no lugar. Ele lhes disse que não resolvia as coisas daquela maneira. Em vez disso, ele queria obedecer a Deus Pai. Ele teve de vir à terra para morrer por nós e estava decidido a obedecer a Deus até o fim.

Jesus não é o melhor amigo que poderíamos ter? Agradeça a ele neste momento por tudo o que tem feito por você.

oração

Querido Pai, por favor, não permita que algum dia eu saia do lado de Jesus. Quero ficar perto dele durante toda a minha vida, não importa se meus amigos se voltem contra ele ou não.

Pedro nega Jesus

LUCAS 22:54-62

Prenderam Jesus e o levaram até a casa do sumo sacerdote. Pedro os seguia de longe. Quando acenderam uma fogueira no meio do pátio, Pedro foi e se sentou com os que estavam em volta do fogo. Uma das empregadas o viu sentado ali perto da fogueira, olhou bem para ele e disse: "Este homem também estava com Jesus!"

Mas Pedro negou, dizendo: "Mulher, eu nem conheço esse homem."

Pouco tempo depois, um homem o viu ali e disse: "Você também é um deles!"

Mas Pedro respondeu: "Não, eu não sou um deles."

Mais ou menos uma hora depois, outro insistiu: "Você estava mesmo com ele, porque também é galileu."

Mas Pedro respondeu: "Homem, eu não sei do que é que você está falando!"

Naquele instante, enquanto ele falava, o galo cantou. Então o Senhor virou-se e olhou firme para Pedro, e ele lembrou das palavras que o Senhor lhe havia dito: "Hoje, antes que o galo cante, você dirá três vezes que não me conhece." Então Pedro saiu dali e chorou amargamente.

conheça

Devocional

Pedro ficou com vergonha. Ele queria ser forte e disse a Jesus que nunca sairia do lado dele. Contudo, quando os guardas vieram para levar o Senhor, Pedro ficou com medo. Ele seguia Jesus a certa distância, mas não queria que ninguém soubesse.

Então várias pessoas começaram a reconhecer Pedro. Primeiro, uma das empregadas perguntou-lhe se ele era um dos apóstolos de Jesus. Outros dois homens o viram e disseram que ele pertencia o bando de Jesus. Pedro ficou com muito medo de dizer a verdade. Ele disse às três pessoas que não conhecia Jesus de jeito nenhum! Então... o galo cantou. Pedro lembrou-se de que Jesus lhe havia dito que ele iria negá-lo três vezes antes de nascer o dia, antes de o galo cantar. Pedro ficou muito entristecido!

Você quer agradar a Jesus o tempo todo? Às vezes, é realmente difícil defender o que sabemos ser verdade, não é? Peça a Jesus agora que a ajude a permanecer forte na causa dele, mesmo quando não for fácil.

ORAÇÃO:

Senhor, meu coração
quer ser forte e **VERDADEIRO**,
mas às vezes parece que as outras
partes de mim não querem ajudar.
Deus, me ajude a fazer sempre
o que agrada o **SENHOR**.

Jesus é crucificado

MATEUS 27:27-31, 33-37

Os soldados de Pilatos levaram Jesus para o palácio do governador e reuniram toda a tropa em volta dele. Tiraram a roupa de Jesus e o vestiram com uma capa vermelha. Fizeram uma coroa de ramos cheios de espinhos, e a puseram na sua cabeça, e colocaram um bastão na sua mão direita. Aí começaram a se curvar diante dele e a caçoar, dizendo: "Viva o Rei dos Judeus!"

Cuspiram nele, pegaram o bastão e bateram na sua cabeça

várias vezes. Depois de terem caçoado dele, tiraram a capa vermelha e o vestiram com as suas próprias roupas. Em seguida o levaram para ser morto na cruz.

Eles chegaram a um lugar chamado Gólgota. Ali deram vinho misturado com fel para Jesus beber. Mas, depois que o provou, ele não quis beber. Em seguida os soldados o crucificaram e repartiram as roupas dele entre si, tirando a sorte com dados, para ver qual seria a parte de cada um. Depois disso sentaram ali e ficaram guardando Jesus. Puseram acima da sua cabeça uma tabuleta onde estava escrito como acusação contra ele: "Este é Jesus, o Rei dos Judeus."

Devocional

A história da crucificação de Jesus é horrível e triste. Como as pessoas puderam matar o homem que passou a vida as curando? Por que elas bateram e cuspiram nele e o xingaram? Ele foi chicoteado. Suas mãos e seus pés foram pregados em uma cruz. Todos ficaram olhando enquanto Jesus morria.

Por que Deus permitiu que o povo fosse tão cruel com seu próprio Filho? Deus Pai e seu Filho, Jesus, estavam de acordo desde o início. Jesus estava disposto a pagar o preço por nossos pecados. Nós merecíamos cada coisa ruim que aconteceu com Jesus. Mas, em vez disso, Jesus levou nosso castigo sobre si mesmo. Ele então nos cobre com seu sacrifício perfeito. Uma vez que confiamos em Jesus, Deus agora vê a perfeição de seu Filho, não nossos pecados. Era um preço muito doloroso a ser pago, mas Jesus o pagou porque ama todas as pessoas. Deus valoriza você como a princesa dele e pagou o preço mais alto para que você fosse livre para amá-lo. Que rei maravilhoso!

Jesus, somente o Senhor é bom o suficiente para pagar o preço por nossos pecados. Obrigada por passar por tanta dor e vergonha para que eu pudesse fazer parte de sua família.

Jesus ressuscita dentre os mortos

MATEUS 28:1-3, 5-10

Depois do sábado, no primeiro dia da semana, bem cedo, Maria Madalena e a outra Maria foram visitar o túmulo. De repente, houve um grande tremor de terra. Um anjo do Senhor desceu do céu, tirou a pedra e sentou-se nela. Ele era parecido com um relâmpago, e as suas roupas eram brancas como a neve.

Então o anjo disse para as mulheres: "Não tenham medo! Sei que vocês estão procurando Jesus, que foi crucificado, mas ele não está aqui; já ressuscitou dos mortos, como disse que faria. Venham ver o lugar onde estava o corpo dele.

Agora vão depressa e contem aos discípulos.

As mulheres foram embora depressa do túmulo. Elas estavam com medo, mas muito alegres. E correram para contar tudo aos discípulos. De repente, Jesus se encontrou com elas e disse: "Que a paz esteja com vocês!"

Elas chegaram perto dele, abraçaram os seus pés e o adoraram. Então Jesus disse: "Não tenham medo! Vão dizer aos meus irmãos para irem à Galileia, e eles me verão ali."

Devocional

Que dia maravilhoso! Ele tinha começado tão triste! Maria e Maria Madalena iam ao túmulo de Jesus para passar no corpo dele especiarias usadas em sepultamentos. Mas, quando chegaram ao túmulo, a grande pedra que fechava a entrada tinha sido removida! Anjos apareceram, e os soldados que guardavam o túmulo sentiram tanto medo que ficaram como estátuas, sem se mover. Os

Nem mesmo a morte pode vencer o Senhor **JESUS**. De fato, o Senhor é Deus sobre **TODAS AS COISAS**!

anjos disseram às mulheres que Jesus havia ressuscitado dentre os mortos. Jesus planejava encontrá-las na Galileia. O anjo disse às mulheres que fossem contar o ocorrido aos apóstolos de Jesus para que todos pudessem vê-lo novamente.

Quando as mulheres iam dar a notícia, Jesus se encontrou com elas. Elas estavam muito felizes! Adoraram-no e, em seguida, correram ainda mais para dar a todos a boa notícia.

Jesus vai para o céu

LUCAS 24:36-39, 45-52

esus apareceu no meio dos que estavam reunidos e disse: "Que a paz esteja com vocês!"

Eles ficaram assustados e com muito medo e pensaram que estavam vendo um fantasma. Mas ele disse: "Por que vocês estão assustados? Por que vocês duvidam do que estão vendo? Olhem para as minhas mãos e para os meus pés. Sou eu mesmo! Toquem em mim. Um fantasma não tem carne nem ossos, como vocês estão vendo que eu tenho."

Então Jesus abriu a mente deles para que entendessem as Escrituras Sagradas e disse-lhes: "Está escrito que Cristo seria morto e que ressuscitaria no terceiro dia. Vocês viram essas coisas acontecerem, vocês são testemunhas. Vocês precisam dizer às pessoas que elas precisam se arrepender e mudar seu coração e sua mente. Se fizerem isso, os pecados delas serão perdoados. Vocês devem começar em Jerusalém e anunciar essa mensagem a todas as nações. Prestem atenção! E eu lhes mandarei o que o meu Pai prometeu a vocês. Mas esperem aqui em Jerusalém, até receberem o poder que vem do céu."

Então Jesus levou seus seguidores para fora da cidade até o povoado de Betânia. Ali levantou as mãos e os abençoou. Enquanto os estava abençoando, Jesus se afastou deles e foi levado para o céu. Eles o adoraram e voltaram para Jerusalém cheios de alegria.

retorna

Devocional

Coisas estranhas estavam acontecendo. Todos viram Jesus morrer, mas, nesse momento, algumas mulheres diziam que ele estava vivo! Seria verdade?

Dois discípulos de Jesus que caminhavam por uma estrada falavam sobre quanto eles estavam confusos. De repente, um terceiro homem se juntou a eles e começou a explicar o plano de Deus. Ele abriu a Bíblia e lhes mostrou como todas as palavras falavam sobre Jesus. Era plano de Deus enviar seu Filho ao mundo para morrer pelos pecados deles. Os homens convidaram o estranho para jantar na casa deles. Quando o homem orou e partiu o pão, os olhos dos homens se abriram.

Até que enfim! Eles perceberam que aquele homem era Jesus o tempo todo! Aquilo podia ser um pouco difícil de entender. Mas Jesus não tinha a mesma aparência de antes.

Mais tarde, Jesus apareceu aos seus apóstolos. Ele lhes disse que enviaria o Espírito Santo a fim de lhes dar poder para espalhar as boas-novas a todos do mundo. Então ele subiu aos céus diante dos olhos deles!

PROMESSA:

Jesus Cristo ressucitou do túmulo! Ele vive no céu ao lado de Deus, orando por nós e preparando um **LUGAR** para que nos juntemos a ele um dia.

A Vinda do Espírito Santo

ATOS 2:1-6, 14, 16-18

Quando chegou o dia de Pentecostes, todos os seguidores de Jesus estavam reunidos no mesmo lugar. De repente, veio do céu um barulho que parecia o de um vento soprando muito forte, e esse barulho encheu toda a casa onde estavam sentados. Então todos viram umas coisas parecidas com chamas, que se espalharam como línguas de fogo, tocando cada pessoa. Todos ficaram cheios do Espírito Santo e começaram a falar em outras línguas, de acordo com o poder que o Espírito lhes dava.

Havia judeus religiosos vindos de todas as nações do mundo para morar em Jerusalém. Quando ouviram aquele barulho, uma multidão logo se formou, e todos ficaram muito admirados porque cada um podia entender na sua própria língua o que os seguidores de Jesus estavam dizendo.

Então Pedro, em voz bem alta, começou a dizer à multidão: "Meus amigos judeus e todos vocês que moram em Jerusalém, prestem atenção e escutem o que eu vou dizer! O profeta Joel escreveu sobre o que está acontecendo aqui hoje: 'Deus diz: Nos últimos dias derramarei o meu Espírito livremente sobre todas as pessoas. Os filhos e as filhas de vocês profetizarão; os moços terão visões, e os velhos sonharão. Naqueles dias eu derramarei o meu Espírito sobre os meus servos, tanto homens quanto mulheres, e eles profetizarão.'"

Espírito

Devocional

Os seguidores de Jesus esperaram com paciência. Você não acha difícil esperar quando está muito empolgada com alguma coisa que vai acontecer? Eles sabiam que Jesus cumpriria sua promessa. Às nove horas da manhã, aconteceu! Deus derramou seu Espírito Santo sobre todos os cristãos ali reunidos. Era como se a chama de uma vela acesa estivesse sobre cada cabeça, e todos começaram a falar em diferentes línguas! As pessoas ao redor deles podiam ouvir o que eles estavam dizendo. Todos estavam maravilhados! Que histórias magníficas de Deus eles estavam contando!

Deus estava preparando seu povo para compartilhar as boas-novas com pessoas de todas as partes do mundo. Pelo poder de seu Espírito, ele alcançaria as pessoas que nunca tinham ouvido falar de Jesus.

Se pertencemos a Deus, ele nos dá seu Espírito também. Seja ousada como os primeiros discípulos e espalhe as boas-novas: Temos perdão e vida em Jesus!

oração

Querido Espírito Santo, por favor, me dê poder para levar uma vida que agrada a Deus. Abra a minha boca e fale através de mim com as pessoas que precisam ouvir a seu respeito.

O mendigo do templo é curado

ATOS 3:1-10

Certo dia, Pedro e João estavam indo ao templo para a oração das três horas da tarde. Estava ali um homem que tinha nascido aleijado. Todos os dias ele era levado para uma das portas do templo, chamada "Porta Formosa", a fim de pedir esmolas às pessoas que se dirigiam ao templo. Quando o homem viu Pedro e João entrando, pediu uma esmola. Os dois olharam firmemente para ele, e Pedro disse: "Olhe para nós!" O homem olhou para eles, esperando receber algum dinheiro. Porém Pedro disse: "Não tenho prata nem outro, mas o que tenho eu lhe dou: pelo poder do nome de Jesus Cristo, de Nazaré, levante-se e ande."

Em seguida Pedro pegou a mão direita do homem e o ajudou a se levantar. No mesmo instante os pés e os tornozelos dele ficaram firmes. Então ele deu um pulo, ficou de pé e começou a andar. Depois entrou no templo com eles, andando, pulando e agradecendo a Deus. Todas as pessoas o reconheceram. Elas sabiam que aquele era o mendigo que ficava sentado perto da "Porta Formosa" e agora elas o viam andando e louvando a Deus. Elas ficaram admiradas e não entendiam como aquilo podia acontecer.

Devocional

Você já usou sapatos ou sandálias que não serviram muito bem? Eles podem deixar os pés muito doloridos e dificultar os passos. Esse pobre homem da história nunca pôde usar as pernas para andar. Seus amigos o levavam até a entrada do templo todos os dias. Ele ficava sentado ali e pedia dinheiro para poder viver.

Um dia, Pedro e João passaram por ele. Como de costume, ele pediu dinheiro, mas Pedro e João pararam. Eles pediram que o homem olhasse para eles. O homem olhou, esperando que eles lhe dessem dinheiro. Mas eles não deram. Em vez disso, eles lhe disseram para receber a cura em nome de Jesus! O homem levantou-se no mesmo instante e começou a pular e a louvar a Deus. Depois, tenho certeza que ele saiu para procurar um par de sapatos! Todos que o viram ficaram impressionados com o milagre.

Você precisa de ajuda com alguma coisa? Não fique sentada aí. Volte sua atenção para Deus. Ele está olhando para você! Peça-lhe que supra suas necessidades, e ele fará isso.

ORAÇÃO:

Senhor, por favor, me perdoe quando eu me esquecer de pedir a sua **AJUDA**. Que eu possa enxergar minha necessidade para **PEDIR** a sua cura.

Filipe e o etíope

ATOS 8:26-31, 34-35

Am anjo do Senhor disse a Filipe: "Apronte-se e vá para o sul, pelo caminho deserto que vai de Jerusalém até a cidade de Gaza."

Filipe se aprontou e foi. No caminho ele viu um eunuco da Etiópia. Esse homem era um funcionário de confiança de Candace, a rainha dos etíopes. Ele era o responsável por administrar as finanças do reino. Ele tinha ido a Jerusalém para adorar a Deus e agora estava voltando para casa. Sentado na sua carruagem, ele estava lendo o livro do profeta Isaías. Então o Espírito Santo disse a Filipe: "Chegue perto dessa carruagem e acompanhe-a."

Filipe correu para perto da carruagem e ouviu o funcionário lendo o livro do profeta Isaías. Então perguntou: "O senhor entende o que está lendo?"

"Como posso entender se ninguém me explica?", respondeu o etío-pe. Em seguida, convidou Filipe para subir e se sentar com ele na carruagem.

O funcionário perguntou a Filipe: "Por favor, me explique uma coisa. De quem é que o profeta está falando? É dele mesmo ou de outro?"

Então, começando com aquela parte das Escrituras, Filipe anunciou ao funcionário as boas-novas a respeito de Jesus.

Devocional

Você já achou difícil entender a Bíblia? Eu acho que a maioria das pessoas admite que pode ser difícil às vezes.

Uma vez, um etíope estava andando de carruagem. Ele estava lendo a Bíblia, mas não entendia o significado das palavras. Então o Espírito de Deus disse a Filipe para se aproximar do veículo. Filipe chamou o homem e perguntou se ele precisava de ajuda para entender a Bíblia. O etíope ficou feliz em poder contar com a ajuda de Filipe para aprender sobre Jesus. Ele estava tão entusiasmado com as boas-novas que pediu a Filipe para batizá-lo.

Quando encontraram um pouco de água, Filipe batizou o etíope. Então Filipe desapareceu! Deus o levou para outra cidade onde ele pudesse falar de Jesus para outras pessoas. O etíope louvou a Deus por toda a ajuda de Filipe.

Toda vez que você precisar de ajuda para entender a Bíblia, peça sabedoria a Deus. Então peça aos seus pais ou ao seu professor de escola dominical para ajudá-la. Deus lhe ensinará a verdade dele por meio da Bíblia e de outros cristãos.

Oração

Senhor, por favor, coloque pessoas em minha vida que me ajudem a conhecer e a entender mais sobre o Senhor. Ensine-me por meio da sua Palavra e do seu povo.

Saulo fica cego

ATOS 9:1-9

Em Jerusalém, Saulo não parava de aterrorizar os seguidores do Senhor, ameaçando-os de morte. Ele foi falar com o sumo sacerdote e pediu cartas de apresentação para as sinagogas da cidade de Damasco. Saulo queria que o sumo sacerdote lhe desse autoridade para procurar pessoas em Damasco que eram seguidoras do Caminho de Cristo. Se encontrasse alguém, homem ou mulher, prenderia e levaria de volta para Jerusalém.

Então Saulo foi para Damasco. Já perto da cidade, uma luz que vinha do céu brilhou em volta dele. Ele caiu no chão e ouviu uma voz que dizia: “Saulo, Saulo, por que você faz coisas contra mim?”

“Quem é o senhor?”, perguntou ele.

A voz respondeu: “Eu sou Jesus, aquele a quem você está tentando fazer mal. Levante-se agora e entre na cidade. Ali alguém dirá a você o que deve fazer.”

Os homens que estavam viajando com Saulo ficaram parados sem poder dizer nada. Eles ouviram a voz, mas não viram ninguém. Saulo se levantou do chão e abriu os olhos, mas não podia ver. Então eles o pegaram pela mão e o levaram para Damasco. Por três dias Saulo ficou sem poder ver e não comeu nem bebeu.

Devocional

Saulo achava que estava servindo a Deus. Ele acreditava que os cristãos eram pessoas más, por isso se esforçava tanto para castigá-los. Ele não fazia ideia de que era ele que estava errado!

Um dia, Saulo estava viajando para colocar outros cristãos na prisão. De repente, uma luz brilhou à sua volta. O próprio Jesus falou com Saulo. Jesus ordenou que ele parasse de castigar o povo de Deus. A luz cegou Saulo. Então seus amigos o levaram para a cidade, onde Deus ordenou a outro cristão que cuidasse dele. Saulo disse a Deus que estava muito arrependido de seus

Deus, muito obrigada, porque o Senhor usa meninos e meninas, homens e mulheres, para o **seu** *serviço! Assim como Paulo, eu quero servir o Senhor de todo o meu* **coração**.

louvor

pecados e deixou de machucar os cristãos.

Deus lhe devolveu a visão. Então Saulo começou a servir a Jesus de todo o coração. Deus mudou seu nome para Paulo. Paulo tornou-se um dos mensageiros mais vívidos da verdade de Deus para o mundo.

Você sempre acha que está certa? Lembre-se de obedecer à Palavra de Deus, por mais que você ache que as coisas sejam melhores de seu jeito.

Pedro ressuscita Tabita

ATOS 9:36-43

Na cidade de Jope havia uma seguidora de Jesus chamada Tabita. (Este nome em grego é Dorcas e significa "gazela".) Ela usava todo o seu tempo fazendo o bem e ajudando os pobres. Enquanto Pedro estava na cidade de Lida, Tabita ficou doente e morreu. Lavaram o corpo dela e depois o puseram num quarto do andar de cima. Quando os seguidores de Jesus em Jope souberam que Pedro estava em Lida (as duas cidades eram próximas), enviaram dois homens para levar-lhe o seguinte recado: "Por favor, venha depressa até Jope!"

Então Pedro se aprontou e foi com eles. Quando chegou lá, eles o levaram para o quarto de cima. Todas as viúvas ficaram em volta dele, chorando e mostrando os vestidos e as outras roupas que Tabita havia feito. Pedro mandou que todos saíssem do quarto e em seguida se ajoelhou e orou. Depois virou-se para o corpo e disse: "Tabita, levante-se!"

Ela abriu os olhos e, quando viu Pedro, sentou-se. Pedro lhe deu a mão e ajudou-a a ficar de pé. Em seguida chamou os santos e as viúvas ao quarto e mostrou-lhes o que havia acontecido a Tabita: ela estava viva! As notícias a respeito disso se espalharam por toda a cidade de Jope, e muitos creram no Senhor. E Pedro ficou lá muitos dias, na casa de um curtidor de couros chamado Simão.

Devocional

Tabita era uma trabalhadora. Ela amava muito o Senhor e o servia ajudando os pobres e necessitados. Um dia, ela ficou muito doente e morreu. Todos os que ela havia ajudado choraram. Alguns dos homens foram procurar Pedro, amigo de Jesus, e pediram a ele que os acompanhasse no mesmo instante.

Mas o que Pedro poderia fazer? Ela já tinha morrido! Pedro lembrou-se de que o mesmo Deus que ressuscitou Jesus estava agindo

nele também. Ele foi para a casa de Tabita e, de joelhos, pediu um milagre de Deus. Então ele se virou para Tabita e ordenou que ela se levantasse. Ela abriu os olhos e se levantou na hora! Dá para imaginar a surpresa que deve ter sido para todos, incluindo para a própria Tabita? Muitas pessoas se converteram por causa do que Deus havia feito por meio de Pedro.

LOUVOR:

Deus, nada é difícil
demais para o Senhor.
Louvo o seu nome
porque o Senhor é o Deus
que realiza **MILAGRES!**

Paulo e Silas na prisão

ATOS 16:25-34

Mais ou menos à meia-noite, Paulo e Silas estavam orando e cantando hinos a Deus, e os outros presos escutavam. De repente, houve um grande terremoto, e o chão tremeu tanto que abalou os alicerces da cadeia. Naquele instante todas as portas se abriram, e as correntes que prendiam os presos se arrebentaram. O carcereiro acordou, e, quando viu que os portões da cadeia estavam abertos, pensou que os prisioneiros tinham fugido. Então puxou a espada e ia se matar, mas Paulo gritou bem alto: "Não faça isso! Todos nós estamos aqui!"

O carcereiro pediu que lhe trouxessem uma luz, entrou depressa na cela. Tremendo de medo, ele se ajoelhou aos pés de Paulo e Silas. Depois levou os dois para fora e perguntou: "Senhores, o que devo fazer para ser salvo?"

Eles responderam: "Creia no Senhor Jesus e você será salvo — você e as pessoas da sua casa." Então Paulo e Silas anunciaram a palavra do Senhor ao carcereiro e a todas as pessoas da casa dele. Naquela mesma hora da noite, o carcereiro começou a cuidar deles, lavando os ferimentos que tinham. Logo depois ele e todas as pessoas da sua casa foram batizados. Em seguida ele levou Paulo e Silas para a sua casa e lhes deu comida. O carcereiro e sua família ficaram muito felizes porque agora criam em Deus.

Devocional

Paulo e Silas estavam na prisão porque tinham curado uma mulher em nome de Jesus, e Jesus a tinha libertado. Os carcereiros prenderam os pés e as mãos deles em toras de madeira para que não pudessem nem se mexer. Mas adivinhe o que aconteceu? Paulo e Silas ainda podiam mexer a boca! Então eles cantaram hinos a Deus em voz alta enquanto o carcereiro e os outros presos ouviam.

De repente, Deus enviou um grande terremoto, que fez as portas se abrirem e libertou os prisioneiros acorrentados às toras. Paulo e Silas poderiam ter corrido para ficarem livres, mas permaneceram ali. Mais do que terem a própria liberdade, eles queriam que o carcereiro conhecesse Jesus. O carcereiro não conseguia acreditar na bondade deles. Ele os convidou para irem à sua casa, cuidou dos ferimentos deles e lhes deu de comer. Então ele e toda a sua família se tornaram cristãos e foram batizados.

oração

Pai, eu quero confiar no Senhor como Paulo e Silas confiaram. Mesmo em uma situação muito ruim, eles cantaram louvores ao Senhor. Peço que me ajude a sempre estar pronta para cantar louvores e compartilhar suas boas-novas com os outros.

O naufrágio de Paulo

ATOS 27:14-15, 18-20, 39-41, 43-44

Um vento muito forte, chamado "Nordeste", veio da ilha e arrastou o navio de tal maneira que não pudemos fazer com que ele seguisse na direção certa. Por isso desistimos e deixamos que o vento nos levasse. No dia seguinte a tempestade estava tão forte que os marinheiros atiraram parte da carga ao mar. E, no outro dia, eles jogaram no mar uma parte do equipamento do navio. Durante muitos dias não pudemos ver o sol nem as estrelas, e o vento continuava soprando com muita força. Finalmente perdemos toda a esperança de nos salvarmos achamos que iríamos morrer.

Quando amanheceu, os marinheiros avistaram terra. Então, eles cortaram as cordas das âncoras e as largaram no mar e, ao mesmo tempo, desamarraram os lemes. Em seguida suspenderam a vela do lado dianteiro, para que pudessem seguir na direção da praia. Mas o navio bateu num banco de areia e ficou encalhado. A parte da frente ficou presa e a de trás começou a ser arrebentada pela força das ondas.

Júlio, o oficial romano, mandou que todos os que soubessem nadar fossem os primeiros a se jogar na água e a nadar até a praia. Os outros se seguraram em tábuas ou em pedaços do navio. 
E foi assim que todos chegaram a salvo em terra.

Devocional

Os governantes romanos daquele local disseram que Paulo tinha de ir a Roma para conversar com César. Então eles o enviaram de navio com um capitão e muitos outros prisioneiros. Durante a viagem, o tempo mudou. Paulo advertiu que eles enfrentariam a morte se não parassem. Mas ninguém deu ouvidos a Paulo. Aquilo foi um grande erro!

Aí veio o desastre! Uma terrível tempestade surgiu e durou semanas. Eles quase jogaram todos os seus pertences ao mar para impedir que o barco afundasse. Eles achavam que iam morrer.

Paulo disse que eles ainda tinham esperança. Ele lhes disse que um anjo o tinha visitado durante a noite. Deus salvaria a todos no barco se eles ouvissem Paulo. Dessa vez, todos os homens obedeceram. O navio naufragou na costa e começou a se despedaçar. Mas Deus cumpriu sua promessa, e todos os 276 homens que estavam no navio sobreviveram. Deus continuou a realizar milagres por meio de Paulo na ilha onde eles desembarcaram.

PROMESSA:

Deus sempre faz
o que ele diz que fará.
Ele **CUMPRE** suas promessas!

Eu poderia falar todas as línguas que são faladas na terra e até no céu, mas, se não tivesse amor, as minhas palavras seriam como o som de um gongo ou como o barulho de um sino. Eu poderia ter o dom de profetizar, ter todo o conhecimento, entender todos os segredos de Deus e ter tanta fé que até poderia tirar as montanhas do seu lugar, mas, se não tivesse amor, eu não seria nada. Poderia dar tudo o que tenho para alimentar os pobres e até mesmo entregar o meu corpo para ser queimado, mas, se eu não tivesse amor, isso não me adiantaria nada. O amor é paciente e bondoso. O amor não é ciumento, nem orgulhoso, nem vaidoso. O amor não é grosseiro nem egoísta; não fica irritado por qualquer coisa nem guarda mágoas. O amor não fica alegre com a injustiça, mas se alegra com a verdade. O amor suporta tudo com paciência. Sempre confia, sempre espera e sempre permanece forte. O amor nunca acaba.

sempre

Devocional

O capítulo 13 da primeira carta aos coríntios explica o amor em termos simples. A primeira parte diz como o amor é importante. Podemos ser as pessoas mais incríveis com todos os tipos de dons e talentos. Mas, se não tivermos amor, isso não adianta nada.

Depois Deus nos mostra o que é amor e o que não é. O amor é paciente e bondoso. Ele se alegra com a verdade. Ele protege, confia, espera e nunca desiste. O que o amor não faz? O amor não sente inveja nem se exibe. Ele não é arrogante, grosseiro, nem busca os próprios interesses. Não se irrita facilmente nem fica de olho no que as pessoas fazem de errado. E ele não gosta do mal.

Deus diz que o amor dura para sempre. É por isso que precisamos aproveitar todas as oportunidades que temos para falar e agir de forma que demonstre amor. Somente Deus pode mudar nosso coração para que amemos como ele nos ama.

Oração

Querido Deus, obrigada por me ensinar a amar o Senhor e os outros também. Peço um coração que ama como o Senhor ama.

O Fruto do Espírito

GÁLATAS 5:16-18, 22-26

Vivam dirigidos pelo Espírito. Assim vocês não farão o que a sua natureza pecaminosa deseja. Porque o que a nossa natureza humana quer é contra o que o Espírito quer, e o que o Espírito quer é contra o que a natureza humana quer. Os dois são inimigos, e por isso vocês não podem fazer o que vocês querem. Porém, se é o Espírito de Deus que guia vocês, então vocês não estão debaixo da lei.

Mas o Espírito de Deus produz o amor, a alegria, a paz, a paciência, a amabilidade, a bondade, a fidelidade, a humildade e o domínio próprio. E contra essas coisas não existe lei. As pessoas que pertencem a Cristo Jesus crucificaram a natureza pecaminosa delas. Desistiram de seus antigos desejos egoístas e das coisas más que queriam fazer. Assim devemos seguir o Espírito. Nós não devemos ser orgulhosos, nem provocar ninguém, nem ter inveja uns dos outros.

Devocional

Se você plantar uma semente de maçã, que tipo de fruto vai crescer nessa árvore? Você acha que ela poderia dar laranjas? E cenouras? Não, isso é bobagem. É claro que ela daria maçãs!

Assim, se Deus planta a semente do Espírito Santo em você quando você se torna uma cristã, que tipo de fruto vai crescer em sua vida? O fruto do Espírito Santo!

Você não pode comer o fruto do Espírito, mas pode vivê-lo. O fruto de Deus em nossa vida mostra o amor, a alegria, a paz, a paciência, a amabilidade, a bondade, a fidelidade, a humildade e o domínio próprio.

Quando você deixar o Espírito de Deus dominar seu coração, você vai parar de se colocar em primeiro lugar. Você começará a amar os outros porque Deus os ama, não por causa do que eles podem fazer por você. Ao aprender a amar do jeito de Deus, você verá o fruto do Espírito aparecendo em seu modo de falar, de agir e de pensar. Deus nos transforma de dentro para fora!

Oração

Querido Espírito Santo, por favor, ame os outros por meio de mim para que todos possam ver o seu fruto em minha vida.

Escreva aqui algumas de suas histórias biblicas favoritas ou pensamentos especiais dos quais você gostaria de se lembrar.

Este livro foi impresso na China, em 2023,
pela Amity Printing para a Thomas Nelson Brasil.
A fonte usada no miolo é Cochin, corpo 16/19.